CW00822117

PAUL MAAR

In einem tiefen, dunklen Wald …

Bilder von Verena Ballhaus

Verlag Friedrich Oetinger · Hamburg

Einband und Illustrationen von Verena Ballhaus
Satz: Utesch GmbH, Hamburg
Lithos: Photolitho, Gossau
Druck und Bindung: Clausen & Bosse, Leck
Printed in Germany 1999*

ISBN 3-7891-4221-2

Früher gab es viele Könige. **Sehr** viele Könige.

Und da jeder König ein Königreich hatte, gab es auch viele Länder. Sehr viele Länder. Kein Wunder, dass manche kaum größer waren als ein Badezimmerteppich.

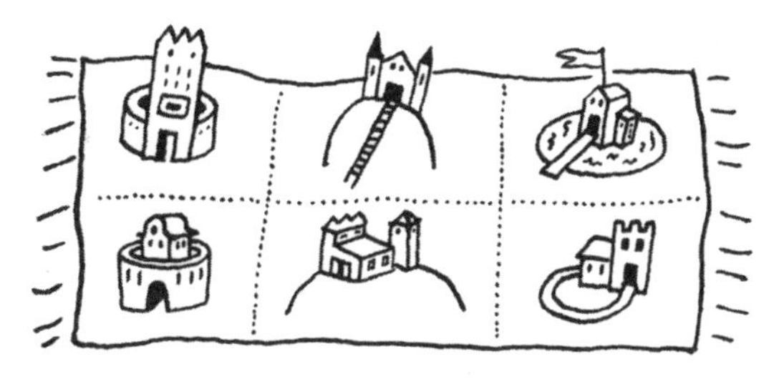

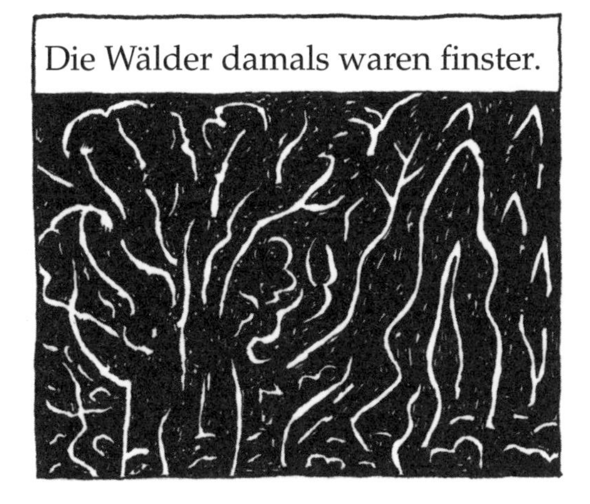

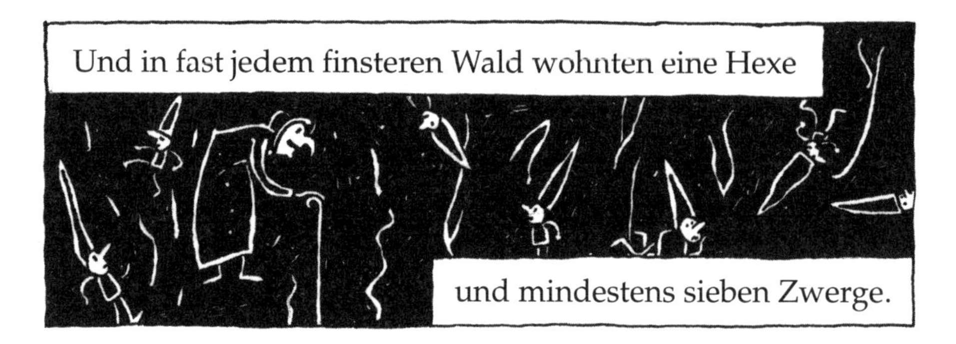

Untiere gab es dort auch im Wald.
Die waren schrecklich groß
und sahen schrecklich **wild** aus.

Aber einige wenige waren recht gutmütig, wenn man sie näher kennen lernte.

Kaum jemand lernte sie allerdings näher kennen, weil jeder schreiend davonlief, wenn er ein Untier auch nur von ferne erblickte.

Und dann soll es damals auch noch Drachen gegeben haben. Die hausten aber nicht im Wald, sondern im Gebirge. In tiefen Höhlen.

So ein Drache sah ein bisschen aus wie ein Dinosaurier, hatte aber große Zacken am Rücken und konnte

Doch das ist schon **so** lange her.

Wenn nicht gar **sooo** lange.

Da viele der Könige Kinder hatten, gab es natürlich auch viele Prinzen und Prinzessinnen. Denn die Kinder von Königinnen und Königen werden nun mal Prinzessinnen oder Prinzen, ob sie es wollen oder nicht.

In der Zeit, von der hier erzählt wird, lebte ein Königspaar, das hatte ein Kind, eine Tochter.
Sie hieß Prinzessin Henriette-Rosalinde-Audora und war ziemlich **schön**.

Außerdem war sie ein bisschen verwöhnt. Was auch kein Wunder ist, schließlich war sie das einzige Kind.

Als Prinzessin Henriette-Rosalinde-Audora achtzehn Jahre alt war, meinten ihre Eltern, dass es an der Zeit sei, ihre Tochter zu verheiraten.

Es kamen auch viele Prinzen ins Haus,
die Henriette-Rosalinde-Audora gerne zur Frau genommen hätten.

Es gefiel ihr aber keiner.

Deshalb sagte sie eines Morgens beim Frühstück zu ihren Eltern: »Ich weiß jetzt, wie ich zu einem mutigen und schönen Mann komme.«
»Ach«, sagte ihre Mutter. Sie sagte oft »ach«. Das galt damals als vornehm.
»So, wie denn?«, fragte ihr Vater.
Henriette-Rosalinde-Audora ließ sich vom Diener ein Tässchen Schokolade reichen, gab vier Löffelchen Zucker und zwei große Löffel Schlagsahne dazu und nahm erst mal ein Schlückchen, um die Spannung zu steigern.
»Nun rede schon!«, sagte ihr Vater.
Henriette-Rosalinde-Audora nahm noch ein Schlückchen, tupfte sich mit der goldbestickten Seidenserviette die Schlagsahne von der Oberlippe und sagte:
»Ich lasse mich von einem Untier entführen.«
»Ach!«, sagte ihre Mutter erstaunt.
»Du willst ein Untier heiraten?«, rief der Vater. »Kommt überhaupt nicht in Frage. Dein Mann ist ja dann unser Schwiegersohn. Also wird er einmal mein Reich erben und selber König sein. Ein Untier als König, wie stellst du dir das vor! Dem würde ja nicht mal die Krone auf den dicken Kopf passen. Nein, nein, nein!«

»Quatsch!«, sagte Henriette-Rosalinde-Audora und trank ihre Schokolade aus.
»Wie bitte? Was sagtest du?«, fragte der Vater.
»Sie hat ›Quatsch‹ gesagt«, sagte die Mutter.
»Ach«, machte der Vater.
»Ja, Quatsch«, wiederholte Henriette-Rosalinde-Audora. »Ich habe nicht gesagt, ich lasse mich von einem Untier heiraten, ich sagte: Ich lasse mich von einem Untier entführen.«
»Und worin besteht der Unterschied?«, fragte ihr Vater.
»Nun, es ist doch üblich, dass der König in solchen Fällen ausrufen lässt: ›Wer meine Tochter aus den Klauen des Untiers befreit, bekommt sie zur Frau und das halbe Königreich dazu.‹ Das machst du. Dann kommt ein mutiger Prinz, befreit mich, und den nehme ich«, sagte Henriette-Rosalinde-Audora.
»Wenn du meinst«, sagte der Vater, der seiner Tochter keinen Wunsch abschlagen konnte. »Dann lasse ich gleich mal die Kutsche anspannen, damit wir dich zum Waldrand fahren können. Untiere pflegen ja in Wäldern zu hausen.«
»Und wenn sie das Untier auffrisst?«, fragte die Mutter.
»Weshalb sollte Henriette-Rosalinde-Audora das Untier aufessen?«, sagte der König und lachte. »Wir geben ihr natürlich einige Körbe der besten Leckereien mit. Lachs in Dillsoße, ge-

räucherte Makrelen, Orangenmarmelade, Weißbrot ...«
»Aber nein«, unterbrach ihn die Königin ein wenig ungeduldig. »Ich meine doch: Wenn das Untier sie auffrisst!«
»Unsere einzige Tochter?«, fragte der König. »Kommt gar nicht in Frage. Das darf es nicht. Das werde ich durch ein königliches Verbot verbieten.«
»Ich fürchte nur, das Untier wird sich nicht an das königliche Verbot halten«, sagte die Mutter.
»Ach«, machte der Vater. Schon zum zweiten Mal an diesem Vormittag.
»Ihr müsst natürlich ein besonders zahmes Untier für mich aussuchen«, sagte Henriette-Rosalinde-Audora. »Am besten eines, das Vegetarier ist.«
»Vegetarier?«, sagte die Königin. »Das sind doch die Leute, die weiter nördlich wohnen; auf der anderen Seite vom Gebirge. Sie haben einen ziemlich schlechten Geschmack, erzählt man sich. Die Königin dort soll einmal maisgelbe Handschuhe zu einem karminroten Umhang getragen haben. Stellt euch das vor! Und der König hat nicht einmal einen Bart.«
»Keinen Bart?« Der König zupfte sich am Bart. »Das ist ja abscheulich. Muss es denn unbedingt ein Untier aus dem Ausland sein?«

»Vegetarier bedeutet Pflanzenfresser«, erklärte ihnen die Tochter.
»Ach«, machten König und Königin gleichzeitig.
»Und Pflanzenfresser pflegen keine Prinzessinnen zu fressen«, fuhr Henriette-Rosalinde-Audora fort. »Weil ja Prinzessinnen bekanntlich aus Fleisch und Blut bestehen.«
»Du musst uns nicht erklären, woraus Prinzessinnen bestehen«, sagte die Mutter spitz. »Wir sind doch nicht so einfältig wie diese Leute, die weiter nördlich wohnen, auf der anderen Seite vom Gebirge.«
»Ich wollte damit doch nur sagen, dass ich mich einzig und allein von einem vegetarischen Untier entführen lasse«, erklärte Henriette-Rosalinde-Audora ihr.
»Das ist etwas anderes«, sagte der König erleichtert. »So können wir es machen.«
»Natürlich darf niemand wissen, dass dieses Untier ein vegetarisches ist«, sagte Henriette-Rosalinde-Audora.
»Natürlich«, sagte der König. »Und weshalb nicht, bitte schön?«
»Ist das so schwer zu begreifen?«, fragte Henriette-Rosalinde-Audora. »Wenn alle Welt weiß, dass dieses Untier harmlos ist, muss mein Befreier doch gar kein besonders mutiger Prinz sein.«

»Das stimmt!«, rief der König, der es inzwischen tatsächlich begriffen hatte. »Da könnte ja dann jeder Hasenfuß kommen! Jeder Bauernbursche!«

»Oder gar einer von diesen Leuten, die im Norden wohnen, auf der anderen Seite vom Gebirge«, fügte die Mutter hinzu.

»Wir werden die Sache äußerst geheim halten«, versprach der König.

»Jaja. Strengstens geheim«, versprach auch die Königin.

Und noch am selben Vormittag schickte der König zwei seiner Späher aus, die den finsteren Wald nach besonders zahmen Untieren absuchen sollten.

Leider gerieten sie an ein ganz gewöhnliches und wurden aufgefressen.

Deshalb wurde der König ein wenig ärgerlich und sagte beim Frühstück zu Henriette-Rosalinde-Audora: »Das mit dem Untier war keine gute Idee. Jetzt haben wir zwei Späher verloren und haben nur noch einen. Ich möchte nicht, dass auch noch der letzte von einem Untier aufgefressen wird. Dann habe ich nämlich keinen mehr. Und ein König ohne Späher, das ist wie ... wie ...«

»Wie ein Pferd ohne Ohren«, ergänzte die Königin.
»Genau«, sagte der König. »Wie ein Pferd ohne Ohren. Ein guter Vergleich! Und deshalb ist jetzt Schluss mit der Suche nach dem vete … vege … tevegarischen Untier.«
»Vegetarischen«, verbesserte ihn seine Frau. Und dem Diener, der gerade Henriette-Rosalinde-Audora ein Tässchen Schokolade einschenken wollte, erklärte sie: »Das bedeutet Pflanzenfresser. Merke Er sich das.«
Aber der Diener hörte gar nicht richtig hin, denn Henriette-Rosalinde-Audora fing an so laut und heftig zu schluchzen, dass er das Kännchen mit der Schokolade gleich auf ein silbernes Tischchen stellen und nach der goldbestickten Seidenserviette greifen musste, um ihr die Tränen abzutupfen.
»Dann wird der arme Papa mit achtzig oder neunzig Jahren immer noch auf dem Thron sitzen und von morgens bis abends regieren müssen«, schluchzte sie. »Und in Urlaub fahren könnt ihr auch nie. Denn wer sollte ihn beim Regieren vertreten, wenn er keinen Schwiegersohn hat? Der arme, arme Papa!«
Der König war ganz gerührt, dass sich Henriette-Rosalinde-Audora solche Sorgen um ihn machte, und sagte zu seiner Frau: »Andrerseits kann man auf einem Pferd ohne Ohren noch ganz gut reiten!«

»Was willst du damit sagen?«, fragte die Königin.
»Nun, vielleicht sollte man unseren Späher doch in den Wald senden und nach einem zahmen Untier suchen lassen«, antwortete er. »Er könnte ja ganz, ganz vorsichtig spähen.«
»Damit er auch aufgefressen wird?«, fragte seine Frau. »Kommt nicht in Frage. Ein König ohne jeden Späher! Was würden die Leute dazu sagen! Soviel man weiß, hat der König, der weiter nördlich auf der anderen Seite vom Gebirge wohnt, sogar vier Späher.«
»Vier Späher?«, fragte der König erschrocken.
»Wenn nicht gar fünf«, sagte seine Frau und nickte.
»Hm«, machte der König und verfiel in tiefes Nachdenken.
»Und was wird dann aus meinem schönen und mutigen Prinzen?«, fragte Henriette-Rosalinde-Audora.
»Hm«, machte der König noch einmal. »Ich fürchte, daraus wird wohl nichts werden.«
Die Königin sagte »Tja, tja« und die Prinzessin seufzte.

Daraufhin tranken alle schweigend ihre Schokolade und dachten nach. Genauer gesagt dachten nur die Königin und die Prinzessin nach. Der König war in seinem Thronstuhl einge-

schlummert und hielt ein kleines Schläfchen, wie immer nach dem Frühstück.
»Wenn Majestäten erlauben, möchte ich einen Vorschlag machen dürfen«, mischte sich da der Diener ins Gespräch. Oder vielmehr in die Stille, die immer noch herrschte.
Der König schreckte ein wenig hoch und murmelte: »Pssst! Störe Er uns nicht beim Nachdenken!«
»Lass ihn doch, Papa! Soll er doch seinen Vorschlag machen«, sagte Henriette-Rosalinde-Audora. »Du kannst ja anschließend wieder nachdenken.«
»Ja, genau. Schlage Er vor!«, befahl die Königin.
»Man müsste am Rand von jedem Wald ein Schaf anbinden«, begann der Diener.
»Von jedem Wald? Es gibt bestimmt mehr als achtzig Wälder auf der Welt!«, rief der König. »Wo sollen wir all die Schafe hernehmen und wie sollen wir sie alle da hinschaffen?«
»Majestät, ich spreche natürlich nur von Euren Wäldern«, erklärte ihm der Diener. »Und davon gibt es nur vier, wenn ich richtig gezählt habe.«
»Er hat richtig gezählt«, sagte der König. »Genau vier und keiner weniger. Und einer wilder und finsterer als der andere.«
»Ja, und darauf können wir stolz sein«, warf die Königin ein.

»Dieser König, der weiter nördlich wohnt, auf der anderen Seite vom Gebirge, hat gerade mal zwei.«

»Meinetwegen soll er tausend haben«, sagte Henriette-Rosalinde-Audora ungeduldig. »Ich will endlich wissen, was das mit den Schafen auf sich hat!«

»Wenn wir ein Schaf am Waldrand anbinden, kommt bestimmt in der Nacht das Untier heraus und frisst es auf«, fuhr der Diener fort. »Am nächsten Morgen ist das Schaf also weg. Es sei denn ...«

»Es sei denn?«, fragte der König gespannt.

»Es sei denn?«, fragte auch die Königin.

»Es sei denn, es steht noch da«, ergänzte Henriette-Rosalinde-Audora, die gleich begriffen hatte, was der Diener meinte.

»Wie kann es denn noch dastehen, wenn es von einem Untier gefressen wurde«, sagte der König ärgerlich. »Du redest Unsinn, Henriette-Rosalinde-Audora!«

»Wenn es noch dasteht, ist es eben nicht vom Untier gefressen worden«, sagte Henriette-Rosalinde-Audora. »Weil in diesem speziellen Wald ein Untier wohnt, das sich nichts aus Schafen macht.«

»Und weshalb sollte es sich nichts aus Schafen machen?«, fragte der König.

»Na, weil es ein zahmes Untier ist, ein vegetarisches, versteht ihr?«, rief Henriette-Rosalinde-Audora.
»Ach«, sagte die Königin. »Ach ja, genau!«
»Ein guter Plan«, musste auch der König zugeben. »Noch heute Abend soll vor jedem Wald ein Schaf angebunden werden. Königlicher Befehl!«
»Danke, Papa. Das ist lieb«, sagte Henriette-Rosalinde-Audora. Und zum Diener sagte sie: »So, und nun hätte ich gerne noch ein halbes Tässchen Schokolade mit drei Löffelchen Zucker, ein Stückchen Honigkuchen mit Himbeermarmelade und zum Nachtisch zwei Würfelchen Marzipan. Denn jetzt schmeckt mir das Frühstück wieder.«

Am Abend wurde am Rand jedes wilden Waldes ein Schaf angebunden, wie es der König befohlen hatte.
Und wirklich waren am nächsten Morgen alle Schafe verschwunden. Bis auf eines. Das stand friedlich grasend am Rand des Waldes, der ganz im Osten des kleinen Landes lag.
»Mein kluger Plan war also erfolgreich«, sagte der König zufrieden zu seiner Frau, als man ihm die Botschaft überbracht hatte. »Nun wissen wir, wo dieses vege … vete … dieses zahme Untier haust. Da können wir Henriette-Rosalinde-Audora gleich heute Abend zum Waldrand bringen und entführen lassen. Ich bin ja schon so gespannt, wer sie befreit. Hoffentlich ein Prinz aus gutem Hause.«
»Prinzen sind immer aus gutem Hause«, sagte die Königin.
»Ja, aber manche kommen aus einem etwas kleinen Königreich«, gab ihr Mann zu bedenken.
»Und andere aus einem großen«, ergänzte sie. »Wir werden selbstverständlich den nehmen, der aus dem größten kommt.«
»Was heißt hier: Wir werden ihn nehmen«, mischte sich Henriette-Rosalinde-Audora ins Gespräch. »Wir können ihn nicht aussuchen. Wir müssen schon den nehmen, der mich aus den Klauen des Untiers befreit.«
»Da hat sie auch wieder Recht«, sagte ihr Vater. »Heute Abend

werden wir jedenfalls die Sache ins Rollen bringen.«
»Ins Rollen bringen!«, wiederholte die Königin naserümpfend. »Wie gewöhnlich das klingt.«
»Da wir sie in der Kutsche dorthin bringen, wird sie ja wohl rollen«, versuchte sich der König herauszureden. »Räder rollen nun mal. Und eine Kutsche ohne Räder ist wie ein Pferd ohne … ohne …«
»Schon gut«, unterbrach ihn seine Frau. »Sagen wir einfach: Heute Abend werden wir Henriette-Rosalinde-Audora ihrem ungewissen Schicksal überlassen.«
»Ich weiß nicht …«, begann Henriette-Rosalinde-Audora zögernd.
»Was weiß sie nicht?«, fragte der König seine Frau.
»Ich weiß auch nicht, was sie nicht weiß«, sagte die Königin. »Aber bestimmt wird sie es uns gleich sagen. Nicht wahr, liebes Kind?«
Henriette-Rosalinde-Audora wiegte den Kopf hin und her. »Ich weiß nicht, ob ich heute Abend da hinwill!«
»Ach«, sagte ihre Mutter.
»Und weshalb nicht?«, fragte ihr Vater.
»Vielleicht ist das Untier in diesem Wald ja gar nicht zahm«, sagte Henriette-Rosalinde-Audora.

»Aber das Schaf steht noch da. Das hat mir mein Späher berichtet«, sagte der König. »Es ist wohlauf und munter, frisst und macht ›Muh‹!«
»Mäh«, verbesserte seine Frau.
»Mäh oder Muh, was kümmert es mich, was so gewöhnliche Tiere für Laute von sich geben. Als ob ein König keine anderen Sorgen hätte«, rief der König. »Es ist jedenfalls bei bester Gesundheit, und das ist der Beweis.«
»Und wenn das Untier das Schaf nur deshalb nicht gefressen hat, weil es gerade Bauchweh hatte?«, fragte Henriette-Rosalinde-Audora. »Oder weil es verschlafen hat? Oder weil es bereits satt war und erst mal die beiden Späher verdauen musste?«
»Hm«, machte der König.
»Wir sollten das Schaf noch eine Nacht da draußen stehen lassen«, schlug Henriette-Rosalinde-Audora vor. »Oder noch besser: Du stellst ein zweites dazu, Papa. Das ist sicherer.«
»Ich? Wie stellst du dir das vor«, sagte ihr Vater. »Ein König stellt nicht irgendwelche Schafe vor irgendwelche Wälder!«
»Ich meinte natürlich: Du lässt eines dazustellen«, verbesserte sich Henriette-Rosalinde-Audora.
»Das geht«, sagte der König. »Ich lasse auf der Stelle eines dazustellen. Königlicher Befehl: Man stelle noch heute Abend ein

zweites Schaf neben das erste an den Waldrand!«
Was zur Folge hatte, dass am nächsten Morgen zwei Schafe friedlich vor dem Wald grasten, der ganz im Osten des kleinen Landes lag.
Aber auch das schien Henriette-Rosalinde-Audora noch nicht sicher genug zu sein, und deshalb ließ ihr Vater am dritten Tag ein drittes Schaf dazustellen, am vierten Tag ein viertes. So ging es weiter. Und weil der König seiner Tochter bekanntlich keinen Wunsch abschlagen konnte, graste bald eine ganze Schafherde am Rand des östlichen Waldes.

Ein paar Wochen später, die königliche Familie saß gerade beim Frühstück, sagte der Vater zu Henriette-Rosalinde-Audora: »Mehr Schafe kann ich dir nun wirklich nicht mehr vor den Wald stellen lassen. Das sind alle, die wir haben. Mehr gibt es nicht in meinem Königreich.«
Und die Mutter sagte: »Ich finde auch, dass du dich endlich entführen lassen solltest. Dein Vater kommt vor lauter Schafezählen kaum noch zum Regieren. Bald herrschen hier Zustände wie in diesem Land nördlich von uns, auf der anderen Seite vom Gebirge.«

Henriette-Rosalinde-Audora ließ sich vom Diener ein Tässchen Schokolade reichen, nahm einen Schluck, wischte sich den Mund mit ihrer goldbestickten Seidenserviette ab und sagte: »Na gut. Papa soll schon mal die Kutsche anspannen lassen. Dann wollen wir die Sache also endlich ins Rollen bringen.«
»Ach«, sagte die Mutter.
»Heißt das, dass wir dich noch heute an den Waldrand bringen dürfen?«, fragte der Vater.
»Genau das«, sagte Henriette-Rosalinde-Audora. »Auf der Stelle.«
»Ganz so schnell geht das nun auch wieder nicht!«, sagte die Mutter zu Henriette-Rosalinde-Audora. »Du wirst bitte schön ein wenig Geduld haben.«
Und zum König sagte sie: »Erst zögert sie es hinaus und hinaus und noch mehr hinaus, und auf einmal hat sie es eilig. Sie wird gefälligst warten, bis man ihre Sachen gepackt hat.«
»Was gibt es denn viel zu packen?«, fragte der König.
»Ach, nur ein paar winzige Kleinigkeiten«, sagte Henriette-Rosalinde-Audora. »Nur die Körbe mit den Ess-Sachen, ein paar Fruchtsäfte, den Pudding, zwei, drei Schachteln Pralinen, das silberne Geschirr mit meiner Lieblingstasse und dann natürlich meine Kleider. Von den Blusen nehme ich am besten nur die

zartgelben und ockerfarbenen mit, die passen am besten zum Laubgrün der Waldbäume, findest du nicht auch, Mama? Dann natürlich meine Nachtwäsche, das zusammenklappbare Bett mit der Daunendecke, die Kissen, die Duftwässer, den Kamm, einen großen Spiegel, vielleicht eine Blumenvase mit ein paar Schnittblumen, meine Hausschuhe, dann etwas zu lesen und ein paar bunte Bänder fürs Haar. Das wäre auch schon alles. Nein, noch ein Schächtelchen Marzipan. Mit Schokoladenüberzug. Das hätte ich doch beinahe vergessen.«
Die Mutter sagte: »Wenn du meinen Rat hören willst: Zieh bitte den roten Samtmantel mit dem dunkelblau abgesetzten Saum an. Und deine hohen Schnürstiefel mit Pelzbesatz. Es kann kalt werden dort draußen im Wald.«
»Wieso im Wald? Ich denke, wir bringen sie an den Waldrand?«, fragte der König.
»Ihr bringt mich an den Waldrand und das Untier bringt mich dann hinein«, erklärte ihm seine Tochter geduldig.
»Majestät«, sagte da der Diener, der dem Gespräch stumm gelauscht hatte. »Majestät, dürfte ich mir eine Frage erlauben?«
»Darf er?«, fragte der König seine Tochter.
Und da Henriette-Rosalinde-Audora nickte, befahl er: »Heraus mit der Sprache!«

»Majestät«, sagte der Diener. »Sind Eure Hoheit denn sicher, dass dieses Untier unsere Prinzessin Henriette-Rosalinde-Audora überhaupt entführen will?«

»Weshalb sollte es mich nicht entführen?«, fragte Henriette-Rosalinde-Audora. »Dazu ist es doch da. Untiere rauben Prinzessinnen. Das kann Er in jedem Buch nachlesen.«

»Ich kann leider nicht lesen«, entschuldigte sich der Diener. »Aber ich frage mich: Wenn das Untier all die Schafe stehen lässt, warum sollte es dann ausgerechnet Prinzessin Henriette-Rosalinde-Audora rauben wollen?«

»Will Er mich etwa mit einem Schaf vergleichen?«, fragte Henriette-Rosalinde-Audora empört.

»Beileibe nicht«, sagte der Diener schnell. »Wirklich nicht! Aber es ist doch ohne Zweifel ein vegetarisches Untier. Majestäten entschuldigen, aber ich habe Ihre Gespräche mitgehört und weiß, dass dort im Wald ein zahmes Untier haust, was ich natürlich keiner Menschenseele jemals weitersagen werde. Und welchen Grund sollte ein zahmes Untier haben, eine Prinzessin zu entführen? Ein gewöhnliches Untier würde Henriette-Rosalinde-Audora ohne Zweifel rauben, um sie aufzufressen. Entschuldigung, ich wollte sagen: um sie zu verspeisen. Aber ein zahmes?«

»Da hat er Recht«, sagte der König. »Unser schöner Plan war umsonst.«
»Ach«, sagte seine Frau.
»Quatsch«, sagte Henriette-Rosalinde-Audora.
»Hat sie schon wieder ›Quatsch‹ gesagt?«, fragte der König seine Frau.
»Ja, das hat sie«, sagte die Königin.
»Dieses Wort wirst du dir endlich abgewöhnen. Und zwar auf der Stelle. Es ist ganz und gar unköniglich«, sagte der Vater zu Henriette-Rosalinde-Audora.
»Wie soll ich denn dann sagen, wenn jemand Quatsch redet?«, fragte Henriette-Rosalinde-Audora.
»Wie soll sie denn dann sagen?«, fragte der König seine Frau.
»Prinzessinnen sagen ›Mumpitz‹ oder ›Aberwitz‹«, erklärte die Königin.
»Genau«, sagte der Vater. »Und jetzt wirst du uns erklären, weshalb deine Eltern deiner Meinung nach aberwitzigen Mumpitz reden.«
»Untiere rauben nicht Prinzessinnen, um sie aufzufressen. Um sie zu verspeisen, wollte ich sagen. Untiere rauben Prinzessinnen, weil sie von der Schönheit der Prinzessin so entzückt sind, dass sie unwiderstehlich angezogen werden und gar nicht an-

ders können, als sie zu entführen«, erklärte Henriette-Rosalinde-Audora. »Wenn ihr allerdings meint, dass ich nicht hübsch bin, können wir uns die Fahrt zum Waldrand sparen.«
»Henriette-Rosalinde-Audora ist unzweifelhaft die schönste Prinzessin, die wir in unserem geliebten Königreich haben«, versicherte der Diener schnell. Das brachte ihm aber nur einen bösen Seitenblick von Henriette-Rosalinde-Audora ein. Denn schließlich war sie die einzige Prinzessin im Königreich.
»Ich finde Henriette-Rosalinde-Audora sogar äußerst schön«, sagte der Vater.
»Schöner als mich?«, fragte seine Frau.
»Nun …«, begann er zögernd.
»Nun?!?«, fragte seine Frau.
»Nun, ich finde euch beide auf ganz besondere Weise schön, jede auf ihre Art, die eine so, die andere so«, sagte er. Und da er fürchtete, nun seiner Frau erklären zu müssen, was er mit dem »so« und dem »so« gemeint hatte, fügte er schnell hinzu: »Fest steht jedenfalls, dass Henriette-Rosalinde-Audora hübsch und damit für das Untier interessant ist. Ich werde gleich die Kutsche anspannen lassen.«
Henriette-Rosalinde-Audora betrachtete sich noch einmal im kleinen silbernen Taschenspiegel, den sie immer bei sich trug,

zupfte sich eine Locke zurecht, steckte den Spiegel wieder zurück und sagte: »Ich finde auch, dass Papa Recht hat.«
Es dauerte keine dreieinhalb Stunden, da hatten die Mägde schon die Sachen der Prinzessin gepackt. Während nun die Diener unten im Hof alles in der Kutsche verstauten, ließ sich Henriette-Rosalinde-Audora oben in ihrem Zimmer von einer Zofe schnell noch die Locken eindrehen und puderte sich dabei das Gesicht. Danach wechselte sie dreimal das Kleid und viermal die Schuhe, blickte noch einmal in den Spiegel und rief: »Bin schon fertig! Wir können aufbrechen!«
Und so wurde Henriette-Rosalinde-Audora an den Waldrand gefahren und dort inmitten all ihrer Sachen abgesetzt.
Der König und die Königin umarmten noch einmal ihre Tochter. »Hoffentlich geht alles flink voran und du musst nicht allzu lange auf deinen Prinzen warten«, sagte der Vater. »Ich habe meinem Späher befohlen, den Waldrand immer im Blick zu behalten. Wenn dich dieses Untier entführt hat, sagt er mir auf der Stelle Bescheid. Und schon schicke ich meine Boten in alle Himmelsrichtungen aus und lasse verkünden, dass meine Tochter befreit werden soll.«
»In alle Himmelsrichtungen?«, fragte seine Frau. »Ich finde, den Weg nach Norden übers Gebirge können sie sich gerne sparen.«

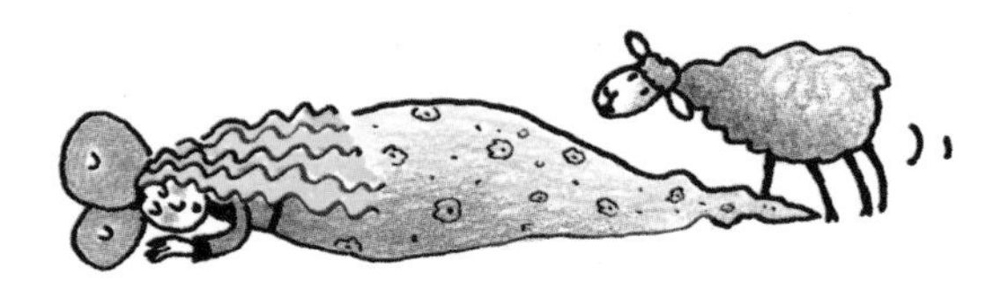

»Wenn du meinst«, antwortete der König. »Und nun viel Glück, Henriette-Rosalinde-Audora.«
»Viel Glück, mein Kind«, wünschte auch die Mutter. Dann stiegen der König und die Königin in die Kutsche und fuhren zurück zum Schloss.
Henriette-Rosalinde-Audora saß im Schatten eines dichten Busches am Waldrand und langweilte sich. Um sie herum grasten die Schafe. Sie schaute den Tieren zu, wie sie die Halme zwischen die Zähne nahmen, sie mit einem festen Ruck abrissen und dann mit mahlendem Unterkiefer gemächlich kauten. Das sanfte, gleichförmige Geräusch, das dabei entstand, machte sie schläfrig. Bald war sie eingeschlafen.

Plötzlich erwachte sie. Es war kein Geräusch, das sie geweckt hatte, es war ein merkwürdiger Geruch.
»Hier stinkt es«, sagte sie zu sich selbst. »Es stinkt unerträglich. Es stinkt geradezu widerwärtig. Wo kommt das her? Bevor ich einschlief, roch es nach Wiese, Blumen und Schafen.«
Sie stand auf, schnupperte und sah sich um.
»Der Gestank kommt aus dem Busch neben mir!« Und plötzlich wusste sie, wer oder was da so entsetzlich stank. »Das kann nur

das Untier sein«, dachte sie in einer Mischung aus Schreck und Neugier. »Es ist ganz nah. Wer hätte geahnt, dass Untiere so widerlich riechen. Davon stand jedenfalls nichts in meinen Büchern. Womöglich haben sie auch Flöhe oder Läuse. Ich werde nach meiner Befreiung erst mal ein warmes Schaumbad nehmen müssen. Jedenfalls werde ich jetzt ganz ruhig bleiben und mir nichts anmerken lassen.«
Sie wandte dem Busch den Rücken zu, summte ein kleines Lied, griff nach einem der Essenskörbe, wählte unter all den belegten Weißbrotscheiben eine mit kaltem Braten, Gurke, hart gekochtem Ei und Johannisbeersenf aus und nahm einen kleinen Bissen.
Während sie kaute, sah sie aus den Augenwinkeln, wie sich eine große, behaarte Hand aus dem Busch streckte und näher und näher kam.
»Jetzt wird mich das Untier packen«, dachte sie und schloss die Augen.
Nichts geschah.
Henriette-Rosalinde-Audora öffnete die Augen einen Spalt, blinzelte und sah gerade noch, wie die große behaarte Hand ihren Essenskorb am Henkel fasste und in den Busch zog.
»Wirst du wohl meinen Korb stehen lassen!«, rief sie. »Das ist

die Höhe! Dieses Untier klaut einfach mein Essen!«
Sie griff nach dem Henkel, gerade bevor der Korb ganz im Busch verschwunden war, klammerte sich fest und wurde in einem heftigen Ruck mitsamt dem Korb in die Büsche gezogen. Jetzt sah sie das Untier zum ersten Mal. Es ging auf zwei Beinen wie ein Mensch, war bestimmt drei Meter hoch, am ganzen Körper behaart, hatte eine breite, große Nase und ein erfreulich kleines Maul. Es schien keine Ohren zu haben, denn aus den struppigen Haaren, die links und rechts wie zwei Kehrbesen von seinem Gesicht abstanden, schauten nicht die kleinsten Ohrmuscheln heraus. Das Erstaunlichste aber waren seine klobigen, plumpen Füße. Sie waren mindestens so lang und fast so dick wie das große Essigfass in der Schlossküche.

Das Untier zog immer noch am Korb und schien nicht geneigt zu sein, ihn in nächster Zeit loszulassen.
»Lässt du meinen Korb los! Das ist mein Essen!«, rief Henriette-Rosalinde-Audora. »Man nimmt einer jungen Dame nicht einfach die Sachen weg ohne zu fragen. Hörst du!«
Aber das Untier schien nicht zu hören oder nicht hören zu wollen, rannte und hüpfte mit dem Korb immer tiefer in den finsteren Wald hinein und zog Henriette-Rosalinde-Audora, die nicht daran dachte, den Henkel loszulassen, hinter sich her.
Schließlich kamen sie so bei einer Höhle an. Das Untier hörte auf zu rennen und zu zerren, setzte sich auf einen flachen Stein neben dem Höhleneingang, nahm eine Hand voll Brote aus dem Korb, biss hinein und begann schmatzend zu kauen.
Henriette-Rosalinde-Audora hatte sich damit abgefunden, dass sie ihren Korb wohl verloren geben musste. Sie ging zur Höhle und schaute hinein. Der Boden war dick mit Laub bedeckt, die Wände waren glatt und trocken und es sah recht gemütlich aus.
»Wohnst du da drin?«, fragte sie das Untier.
Das Untier kaute gierig an den Broten und gab keine Antwort.
»Nun ja, wahrscheinlich hört es mich gar nicht«, sagte sie sich. »Es hat ja keine Ohren. Andrerseits haben Hühner auch keine Ohren, soviel ich weiß. Und sie hören ganz ausgezeichnet.

Kaum ruft unsere Köchin ›putt, putt, putt!‹, kommen sie schon angerannt. Die Frage ist also nicht, ob es mich hört, sondern ob es mich versteht.«
Deswegen wandte sie sich noch einmal an das Untier und fragte: »Verstehst du mich? Verstehst du die Menschensprache?«
»Hmpf«, machte das Untier, während es weiterkaute und ein Brot nach dem anderen hinunterschlang.
»Was heißt ›hmpf‹?«, fragte Henriette-Rosalinde-Audora ärgerlich. »Ja oder nein?«
»Hmpf«, machte das Untier.
»Kannst du überhaupt sprechen?«
»Hmpf.«
»Verstehst du, was ich sage?«
»Johmpf«, antwortete das Untier und nickte eifrig.
»Na, das wäre wenigstens geklärt«, sagte Henriette-Rosalinde-Audora. »Du verstehst also, was ich sage.«
Das Untier nickte wieder.
»Schade, dass du nur ›hmpf‹ oder ›johmpf‹ sagen kannst. Sonst würde ich dich fragen, was du dir dabei denkst, einer jungen hübschen Dame einfach den Essenskorb wegzuschnappen!«
»Hongrrr!«, sagte das Untier knurrend und fauchend und deutete auf seinen Bauch. »Hongor ghob. Groß Hongor.«

»Hongor? Ach, du meinst Hunger?«, fragte Henriette-Rosalinde-Audora.

Das Untier nickte.

»Eines frage ich mich: Wieso frisst du eigentlich meine Brote mit gekochtem Schinken und kaltem Braten auf? Ich denke, du bist ein zahmes Untier und frisst kein Fleisch?«

»Dochchch«, machte das Untier und leckte sich mit einer langen, dunkelroten Zunge die Lippen.

»Doch? Dann frisst du am Ende mich auf, wenn alle Brote weggegessen sind?!«

»Noin, noin«, sagte das Untier und schüttelte heftig den Kopf. »Oss nor Gokochts.«

»Nur Gekochtes? Davon hast du hier im Wald bestimmt nicht viel gefunden«, sagte Henriette-Rosalinde-Audora. »Wovon hast du dich denn ernährt?«

»Von Booron ond Polzon«, murmelte das Untier traurig. »Nr Boorn ond Polzn.«

»Von Beeren und Pilzen wird man ja nicht gerade satt«, sagte Henriette-Rosalinde-Audora. »Na gut, dann iss meinetwegen ein paar von meinen Broten. Aber lass mir auch noch welche übrig. Schließlich kann es einige Tage dauern, bis ich von einem mutigen Prinzen befreit werde.«

»Pronz?«, fragte das Untier, hörte auf zu essen und wurde ganz aufgeregt. »Pronz?«
»Jaja, ein Prinz«, antwortete sie. »Ich bin nämlich eine Prinzessin, musst du wissen. Und wünsche auch dementsprechend behandelt zu werden.«
»Pronzossn!«, knurrte das Untier entzückt. »Pronzossn!« Es hörte auf zu essen, deutete erst auf Henriette-Rosalinde-Audora, dann auf sich und sagte: »Pronzossn! Konnoch sonnn! Konn – och – sonn!«
»Jaja, das kannst du sehn«, sagte Henriette-Rosalinde-Audora ungeduldig. »Ich habe mich ja langsam daran gewöhnt, dass die Leute immer ganz aus dem Häuschen geraten, wenn sie hören, dass ich eine echte Prinzessin bin. Aber dass jetzt auch ein Untier damit anfängt, das ist lästig!«
Das Untier hörte ihr nicht zu und knurrte »Konn och sonn«, deutete noch einmal auf sich und rief immer wieder: »Orlos! Oooorlos!«, bis Henriette-Rosalinde-Audora ganz ärgerlich wurde.
»Schon gut, schon gut! Ich weiß ja, dass du ohrlos bist«, rief sie. »Trotzdem kannst du sehr gut hören, wie wir festgestellt haben. Dann hör also mal zu, wenn ich dir jetzt sage, dass du bitte gleich zum Waldrand gehst und von dort mein zusam-

menklappbares Bett mit der Daunendecke, meine Kleider und Blusen und mindestens acht von den Essenskörben herbringst. Schließlich werde ich hier wohl oder übel eine Weile bleiben müssen.«

»Hor bloibon, hor bloibn!«, rief das Untier. Es freute sich offensichtlich, hüpfte vor der Höhle herum und lachte, dass man seine spitzen gelben Zähne sehen konnte. »Pronzosssn bloibn!«

»Ich würde vorschlagen, dass du bitte schön erst zum Waldrand gehst, meine Sachen holst und sie dort in die Höhle stellst«, sagte die Prinzessin. »Danach kannst du hier draußen herumhopsen, so lange du magst.«

Das Untier hörte auf zu hüpfen und sagte: »Nocht hopson. Tonzon. Tonzzzn!«

»Tanzen? Dieses Gehopse soll Tanzen gewesen sein?«, fragte Henriette-Rosalinde-Audora und kicherte. »Erzähl das mal meinem Tanzmeister!«

»Dochch tonzzzn!«, knurrte das Untier beleidigt, während es zum Waldrand trottete, um die Sachen der Prinzessin zu holen. »Konn och sonn tonzn!«

Nach einer Weile kam es voll bepackt zurück und stellte alles vor der Höhle ab.

»Schön! Nun kannst du gerne wieder hier herumhüpfen, wenn

du magst«, sagte die Prinzessin. »Oder herumtanzen, wie du es zu nennen beliebst.«
»Woll nocht tonznn!«, sagte das Untier und schüttelte heftig den dicken Kopf. »Pronzossn orloss! Konn och sonn! Fozobor! Orlos Pronzossn!«
»Ohrlose Prinzessin? Das ist sehr, sehr uncharmant! Wirklich! Ich habe zwar kleine Ohren, zugegeben. Aber erst vor kurzem hat ein Kollege meines Vaters bei einem Bankett gesagt, er finde kleine Öhrchen bei Prinzessinnen sehr, sehr reizvoll.«
»Rotzvoll! Rotzvoll!«, grunzte das Untier und nickte. »Pronzosssn rotzvoll.«
»Rotzvoll, wie eklig!« Henriette-Rosalinde-Audora ließ das Untier stehen, nahm ihr Bett und schleifte es hinter sich her zur Höhle. »Ich habe dein unverschämtes Benehmen langsam satt. Lern erst mal ordentlich sprechen, bevor du dich mit einer Prinzessin unterhältst. Jedenfalls werde ich es mir jetzt auf meinem Bett bequem machen. Du kannst ja meinen Schlaf bewachen. Aber draußen vor der Höhle, wenn ich bitten darf!«
»Drossn?«, fragte das Untier.
»Ja, draußen«, antwortete sie.
Das Untier deutete erst auf sich, dann auf die Höhle und sagte: »Mon Hohl! Mon Hohlo!«

»Das *war* vielleicht mal deine Höhle, jetzt ist es jedenfalls meine«, sagte Henriette-Rosalinde-Audora. »Schließlich hast du mich entführt und bist schuld, dass ich nun hier in diesem finsteren Wald gefangen gehalten werde. Also ist es nur recht und billig, dass ich bis zu meiner Befreiung in deiner Höhle wohne.«

»Och Hohl«, schlug das Untier vor und deutete durch Gesten an, dass sie sich beide doch die Höhle teilen könnten. »Konn och son Hohl.«

»Nichts da!«, sagte sie entschieden. »Nie und nimmer möchte ich mit dir in einer Höhle wohnen. Du stinkst nämlich.«

»Stonks?«, fragte das Untier leise und guckte betrübt an seinem Fell herunter. »Stonks?«

»Ja, und zwar ganz abscheulich«, sagte Henriette-Rosalinde-Audora.

Das Untier seufzte, trottete davon und legte sich in einiger Entfernung unter einen Busch.

»Na also«, sagte Henriette-Rosalinde-Audora, schob das Bett in die Höhle und machte es sich darauf bequem. »Die Sache hätten wir ja bestens geregelt. Hier lässt es sich aushalten. Nun heißt es nur noch warten, bis der mutige und schöne Prinz kommt und mich befreit.«

An dieser Stelle lassen wir Henriette-Rosalinde-Audora für eine Weile auf ihrem Daunenbett ruhen und schauen uns draußen um, vor dem Wald, um zu erfahren, wie die Geschichte weiterging.

Der Späher hatte aufmerksam gespäht und gesehen, wie die Prinzessin von einer riesigen, behaarten Hand ins Gebüsch gezogen worden war, hatte sich sofort auf sein Pferd geschwungen, war zum Schloss galoppiert, in den Thronsaal gestürmt und hatte gerufen: »Die Prinzessin ist entführt worden! Prinzessin Henriette-Rosalinde-Audora ist von einem grässlichen Untier entführt worden!«
»Na, das hat ja bestens geklappt«, flüsterte der König seiner Frau zu. Und laut rief er: »Welch ein Unglück!«
»Geklappt! Dass du aber auch immer so gewöhnliche Ausdrücke verwenden musst! Ein König sagt: ›Alles ist ja bestens gelungen‹ oder ›Alles verlief in schönster Ordnung‹«, flüsterte seine Frau zurück. Und laut rief sie: »Man muss sie befreien. Und wenn es das ganze Königreich kostet.«

»Das halbe«, verbesserte sie der König. »Man pflegt in solchen Fällen zu sagen: ›Wer sie befreit, bekommt sie zur Frau und das halbe Königreich dazu.‹«
»Und die andere Hälfte?«, fragte seine Frau.
»Die behalten wir«, antwortete der König.
»Das ist klug«, sagte seine Frau. »Und zwar behalten wir die südliche Hälfte. Dem Prinzen geben wir die nördliche, die ans Gebirge anschließt.«

Schon am nächsten Morgen ritten Boten des Königs in alle Nachbarländer und verkündeten: »Prinzessin Henriette-Rosalinde-Audora ist von einem Untier entführt worden. Wer sie befreit, bekommt sie zur Frau und das halbe Königreich dazu.« Sie ritten unermüdlich und riefen ihre Botschaft überall aus und machten höchstens drei-, viermal am Tag in einem Wirtshaus Rast, um sich zu einer Flasche Rotwein einen in saurer Sahne eingelegten Wildschweinbraten mit Semmelklößen zu bestellen, eine gespickte Hammelkeule oder Schweinebraten in Kräuterkruste mit feinem Frühlingsgemüse. Zum Nachtisch genehmigten sie sich vielleicht eine Himbeergrütze, einen Schokoladenschaum oder einfach nur Vanillecreme mit heißen

Wo bleibt mein Wildschwein?
...und was gibt's zum Nachtisch?

Noch ein Fläschchen Wein, Herr Wirt!
Die Rechnung geht an unseren gnädigen Herrn König!

Kirschen. Danach sagten sie zum Wirt: »Die Rechnung geht an unseren gnädigen Herrn König!«, stiegen aufs Pferd und ritten weiter.
Einer der Boten trank aus Versehen etwas zu viel Rotwein zum geschmorten Wildfasan mit Petersilienkartöffelchen, und als er zum Nachtisch auch noch ein Fläschchen Pfirsichlikör geleert hatte, schwankte er aus der Gaststube, lallte dem Wirt im Vorübergehen zu: »Rechnnnum anunsen gnähichen Henn Könich!«, stieg von links auf sein Pferd und fiel rechts hinunter, stieg noch einmal von rechts auf, blieb glücklich oben und schlief im Sattel ein.
Das Pferd trabte los wie gewohnt. Und da es bald merkte, dass keine Hand den Zügel führte, trabte es, wohin es Lust hatte, blieb stehn, wenn es Lust hatte, trabte bergauf, den würzigen Gebirgskräutern nach, immer weiter nach Norden, bis es schließlich auf der anderen Seite des Gebirges müde wurde und einfach stehen blieb.
Jetzt erst schreckte sein Reiter hoch, guckte sich um und sah vor sich ein Schloss mit drei Türmen. Auf dem höchsten Turm wehte eine Fahne, in die ein großes »L« eingestickt war.
»Oh«, sagte der Bote zu sich selbst, und dann noch einmal »Oh, oh, oh!«. Denn er begriff, dass er ganz aus Versehen im Land

Lützelburgen eingeritten war, das im Norden hinter dem Gebirge lag. Und nach Lützelburgen, hatte die Königin ausdrücklich gesagt, nach Lützelburgen solle er mal lieber nicht reiten, das lohne sich nicht.
»Wenn ich aber nun schon hier bin, kann ich ja ruhig meine Botschaft verkünden. Es wird bestimmt nicht schaden«, sagte er sich. Er griff nach seinem Horn und blies ein Signal. Schon wurden die Fenster des Schlosses und aller umliegenden Häuser geöffnet.
Der Bote steckte das Horn wieder in den Mantelsack zurück und rief: »Unsere Prinzessin Henriette-Rosalinde-Audora ist von einem grässlichen Untier entführt worden. Wer sie aus den Klauen des Untiers befreit, bekommt sie zur Frau und das halbe Königreich dazu.«
Dann wendete er sein Pferd und ritt schnell in südlicher Richtung davon.
Obwohl der Bote seine Botschaft nur einmal ausgerufen hatte, hatten alle Lützelburger sie gehört. Denn Lützelburgen war ein sehr kleines Land, kaum größer als der Platz vor der Bamberger Domkirche.
Wie wir schon vernommen haben, gab es in Lützelburgen auch ein Schloss. In dem wohnte das Königspaar. Oder vielmehr:

Dort residierte das Königspaar, denn Könige pflegen nicht einfach nur zu wohnen.
Der König und die Königin hatten vier Kinder, die alle schon ziemlich erwachsen waren.
Der älteste Sohn hieß Prinz Bartholomäus. Er konnte reiten, mit Pfeil und Bogen schießen und war außerdem an der Lützelburger Schloss-Hochschule in allen Wissenschaften unterrichtet worden. Die Schule hieß so, weil sie sich hoch oben im vierten Stock des Schlosses befand, gleich neben der Kammer, in der die getrockneten Birnen für den Winter aufbewahrt wurden.
Der zweite Sohn hieß Prinz Bartho. Er konnte reiten und mit dem Schwert fechten.
Der dritte Sohn hieß Prinz Philipp, der konnte reiten und auf der Geige spielen.
Das vierte Kind war eine Tochter. Sie hieß Prinzessin Simplinella und konnte gar nichts. Das kam nicht etwa daher, weil sie dumm gewesen wäre. Es lag daran, dass man damals meinte, Mädchen würden ja doch von einem Prinzen geheiratet und müssten deshalb nur schön sein.
Denn die Geschichte ist ja schon sooo lange her.

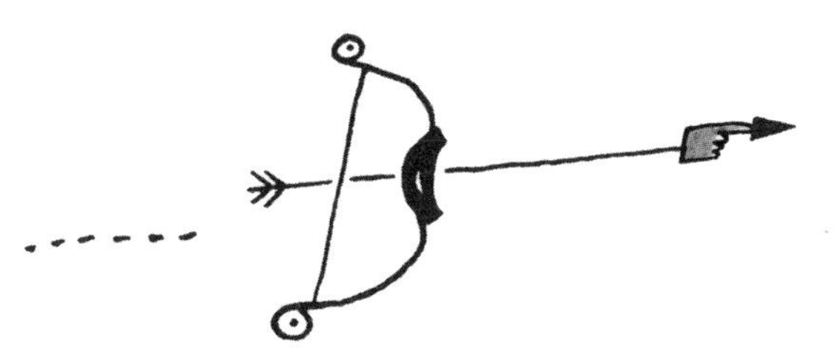

Als der König den Boten des Nachbarkönigs gehört hatte, rief er seinen ältesten Sohn zu sich und sagte: »Das halbe Königreich könnten wir gut gebrauchen. Sehr, sehr gut sogar. Zieh doch bitte mal gleich los und befreie diese Prinzessin!«
»Wird gemacht, Papa«, sagte Prinz Bartholomäus. »Soweit ich unterrichtet bin, ist Prinzessin Henriette-Rosalinde-Audora in einem der vielen Länder zu Hause, die weiter südlich hinter dem Gebirge liegen.«
»Das könnte durchaus möglich sein«, sagte sein Vater.
Und seine Mutter, die Königin, fügte hinzu: »Es genügt übrigens, wenn du sie befreist und das halbe Königreich kassierst. Du musst diese Prinzessin ja nicht unbedingt heiraten. Die Leute im Süden hinter dem Gebirge sollen schrecklich ungebildet sein und außerdem einen recht schlechten Geschmack haben. Sie tragen sogar Bärte.«
»Sie haben Bärte?«, fragte der König angewidert und kratzte sich am Kinn. »Na, hoffentlich nicht auch die Prinzessin!«
»Das werden wir sehen, wenn ich sie befreit habe«, sagte Prinz Bartholomäus, sattelte eines der vier königlichen Pferde, spannte den Bogen, steckte sieben Pfeile in den Köcher und ritt los, den breiten Weg entlang nach Süden.
Nach einer Meile wurde der Weg schmaler, wurde schließlich zu

einem steinigen Pfad, der in vielen Windungen bergauf führte. Links und rechts neben dem Pfad ragten steile, glatte Felswände hoch, und in einer dieser Felswände tat sich unvermutet der dunkle Eingang einer Höhle auf.
Bartholomäus hielt sein Pferd an und spähte vom Sattel aus hinein. Ganz ferne sah er einen Lichtschein.
»Wenn ich da hinten ein Licht sehen kann, bedeutet dies, dass dort die Höhle zu Ende ist und man auf der anderen Seite ins Freie kommt«, sagte Bartholomäus, der in der Lützelburger Schloss-Hochschule im logischen Denken unterrichtet worden war und davon auch gerne Gebrauch machte. »Und wenn die Höhle dort zu Ende ist und man ins Freie kommt, bedeutet dies, dass es sich hier nicht um eine Höhle handelt, sondern vielmehr um einen Tunnel, der durchs Gebirge führt. Und da dieser Tunnel nach Süden weist, bedeutet dies, dass wir es hier mit einer Abkürzung zu tun haben, die mir den mühsamen Weg über den Berg erspart. Und dies wiederum bedeutet, dass ich ein Dummkopf wäre, wenn ich nicht durch diesen Tunnel ritte.«
Er ritt durch den Höhleneingang, stieß mit dem Kopf gegen den Fels und wäre fast vom Pferd gefallen. Für einen Augenblick tanzten Sternchen vor seinen Augen, sein Schädel brummte und er konnte fühlen, wie sich auf seiner Stirn eine kleine Beule

bildete. Er ließ sich dadurch aber nicht vom logischen Denken abbringen und sagte:
»Wenn ich mir den Kopf anstoße, bedeutet dies, dass der Tunnel für einen Reiter etwas zu niedrig ist oder der Reiter für den Tunnel etwas zu hoch. Dies wiederum bedeutet, dass ich besser absteige und mein Pferd am Zügel führe.«
Das tat er auch und tastete sich langsam durch den dunklen Gang auf den Lichtschimmer zu, der heller wurde, für einen Augenblick erlosch und dann noch heller aufstrahlte.
»Ein Rätsel! Ein Rätsel, das gelöst werden will«, sagte Bartholomäus und blieb stehen. »Nun heißt es folgerichtig denken. Wie kann es sein, dass Tageslicht erst hell, dann dunkel und danach wieder hell wird?« Aber schon nach kurzem Nachdenken hatte er das Rätsel gelöst. »Draußen hatte sich eine Wolke vor die Sonne geschoben, folglich wurde es dunkler. Dann ist die Wolke weitergezogen und die Sonne schien hell wie zuvor«, sagte er. »Genau so ist es.«
Mit neuem Mut wollte er vorangehen, aber sein Pferd weigerte sich, schnaubte, blieb stehen und tat keinen Schritt mehr, sosehr er auch am Zügel zog und zerrte. Ja, es riss sich mit einem heftigen Ruck los und stürmte den Weg zurück, aus der Höhle hinaus und draußen weiter.

Das war klug von dem Tier, denn es hatte viel schneller als Bartholomäus begriffen, dass der helle Lichtschimmer nicht das Tageslicht am Ende eines Tunnels war, sondern der Feuerstrahl eines Drachen, der tief in seiner Höhle auf Beute lauerte. Und deshalb hatte auch keine Wolke die Sonne verdeckt, als es kurz dunkel geworden war. Der Drache hatte nur tief Atem geholt, um dann einen noch mächtigeren Feuerstrahl auszu stoßen.
Aber wenig später begriff auch Bartholomäus, in welcher Gefahr er sich befand, denn der Drache hatte sich nun in Bewegung gesetzt, kam schwerfällig auf ihn zugekrochen und stieß nach jedem Schritt seinen feurigen Atem aus.
Bartholomäus zog rasch die Pfeile aus dem Köcher, spannte den Bogen, schoss drei auf einmal ab und dann nacheinander die vier restlichen Pfeile. Vergeblich. Alle Geschosse prallten an der dicken Schuppenhaut des Tieres ab wie Wespen, die gegen eine Glasscheibe fliegen.
Nun war der Drache schon so nahe, dass sein Feueratem Bartholomäus erfasste. Selbst der tapferste Prinz der Welt hätte nicht anders gehandelt als Bartholomäus: Er drehte sich um und rannte ins Freie, so schnell er nur konnte. Er rannte und rannte und wurde erst langsamer, als er sich weit von der Höhle entfernt in Sicherheit wusste.

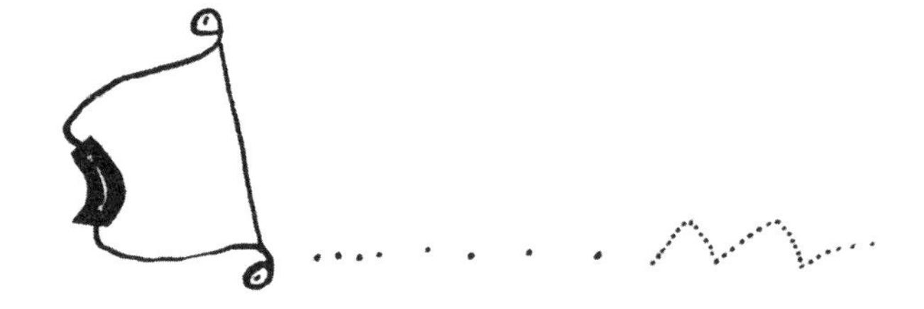

Schließlich blieb er schwer atmend stehen.
Seine Haare waren vom Feueratem des Drachen versengt, seine Kleider qualmten noch ein wenig und seine Haut war so schwarz und rußig, dass er sich im Spiegel kaum wieder erkannt hätte.
»Mein Pferd ist davongelaufen, meine Kleider haben Brandlöcher und ich selbst sehe einem Schornsteinfeger ähnlicher als einem Prinzen. Keine Prinzessin würde mich so auch nur anschauen wollen«, sagte Bartholomäus. »Das bedeutet, dass ich besser wieder nach Hause gehe.«

Der Wächter am Schlosstor hielt ihn für einen Bettler, betrachtete mitleidig die versengten Haare des Ankömmlings und sagte: »Geht in die Hofküche, armer schwarzer Mann, und lasst Euch ein Stück Brot und eine warme Suppe geben. Aber benutzt den Hintereingang. Der hier ist nur für Herrschaften.«
Erst als Bartholomäus zu sprechen begann, erkannte der Wächter den Prinzen und entschuldigte sich unter vielen Bücklingen und tiefen Verbeugungen.

Der Königsfamilie ging es kaum anders als dem Wächter. Nur Simplinella erkannte ihren Bruder gleich, rannte auf ihn zu und umarmte ihn, als er in den Thronsaal wankte. Die anderen wussten erst, wen Simplinella da so herzlich begrüßte, als er zu reden anfing und sagte: »Hier bin ich wieder. Es ist mir leider nicht gelungen, die Prinzessin Henriette-Rosalinde-Audora aus den Klauen des Untiers zu befreien. Das bedeutet, dass jetzt wohl mein Bruder Bartho sein Glück versuchen muss.«
Das ließ sich Bartho nicht zweimal sagen.
»Wir haben uns schon gefragt, wo du bleibst«, sagte er zu Bartholomäus. »Dein Pferd kam nämlich vor einer halben Stunde in den Schlosshof galoppiert und steht immer noch unten vor der Stalltür. Du hast bestimmt nichts dagegen, wenn ich es benutze. Schließlich ist es bereits gesattelt. Ich werde mich gleich auf den Weg machen.«
»Viel Glück!«, wünschte Bartholomäus. »Und wenn du unterwegs an einen Tunnel kommst, dann nimm dich in Acht. Er hat nämlich nur einen Ausgang. Und das bedeutet, dass es gar kein Tunnel ist, sondern eine Höhle. Und in der haust ein Drache, der Feuer speit. Und dies bedeutet, dass du besser nicht hineingehen solltest.«
»Danke für den Rat, lieber Bruder«, sagte Bartho, nahm sein

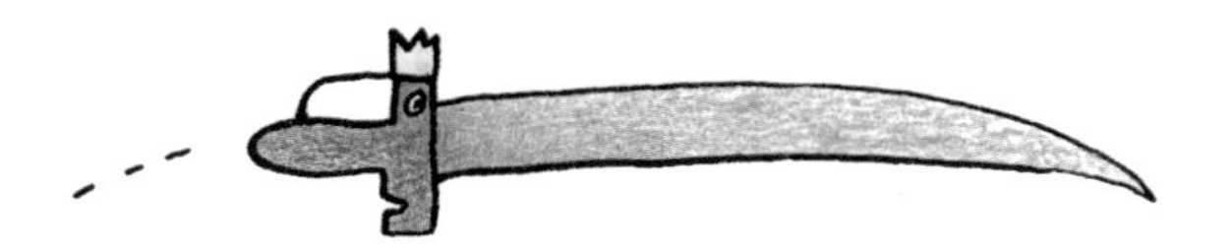

Schwert vom Haken, hängte es sich um und machte sich auf den Weg.
Simplinella begleitete ihn bis zum Schlosstor und wünschte ihm viel Glück. Bartho dankte ihr, schwang sich aufs Pferd und ritt los, den breiten Weg entlang nach Süden.
Wie sein Bruder kam er zu dem steinigen Pfad, der in vielen Windungen bergauf führte, sah auch die Höhle in der Felswand, ritt schnell vorbei, überquerte das Gebirge und kam nach einer guten Stunde auf der anderen Seite unten an.
»Wie geht es nun aber weiter?«, fragte sich Bartho. Denn in der Eile war er losgeritten, ohne sich vorher einen Plan zurechtzulegen. »Was würde mein Bruder jetzt wohl tun?« Bartholomäus war nämlich sein Vorbild und Bartho bemühte sich stets, genauso logisch zu denken, wie es sein großer Bruder in der Schloss-Hochschule gelernt hatte.
Bartholomäus würde sagen: Untiere hausen in Wäldern. Wenn das Untier die Prinzessin entführt hat, dann bedeutet dies, dass sie sich nun in einem Wald befindet. Und wenn ich sie befreien will, bedeutet dies, dass ich erst mal einen Wald suchen muss!, überlegte er. Dann nickte er, sagte: »Mein Bruder hat wieder mal völlig Recht!«, und machte sich auf die Suche nach einem Wald.
Lange musste er nicht suchen, denn schon nach einer Viertel-

stunde kam er an den Rand eines dichten Waldes. Es war der finstere Wald im Norden des Königreichs.
Bartho lenkte sein Pferd hinein. Je weiter er vorankam, desto dichter wurde der Wald. Die Bäume standen so nahe beieinander und ihre weit gefächerten Kronen ragten so hoch auf, dass kaum ein Sonnenstrahl bis zum Boden drang. Es war finster dort drinnen und totenstill. Nicht eine einzige Vogelstimme war zu hören. Schon bald musste Bartho absteigen und sein Pferd zurücklassen, musste sich zu Fuß einen Weg durch das Dickicht suchen.
Da wurde die Stille jäh unterbrochen durch ein Prasseln, Knacken und splitterndes Krachen.
Bartho blieb stehen und lauschte. Der Lärm wurde lauter und lauter.
Bartho überlegte, was sein Bruder wohl von der Sache halten würde. Bartholomäus würde sagen: Wenn dieses Prasseln, Knacken und Krachen immer lauter wird, dann bedeutet dies, dass derjenige, der dieses Geräusch macht, immer näher und näher kommt. Und wenn dieses Geräusch derart gewaltig und laut ist, dann bedeutet dies, dass derjenige, der da näher und näher kommt, ungeheuer groß und stark sein muss. Und da es nur ein Wesen gibt, das derart groß und stark sein kann, so

bedeutet dies, dass sich hier ein Untier nähert. Und das bedeutet, dass man zur Vorsicht schnell auf einen Baum klettern sollte.
Das tat Bartho auch und kletterte schnell auf einen hohen Baum. »Wie Recht Bartholomäus wieder mal hatte!«, flüsterte Bartho, als er sich von dort oben umblickte. Denn ein mächtiges Untier bahnte sich unter ihm einen Pfad durch den Wald und stampfte nieder, was ihm im Weg stand. Es schien den Körper eines großen schwarzen Stiers zu haben. Eines sehr großen Stiers mit mächtigen Schultern. Der Kopf mit der verfilzten Mähne erinnerte allerdings mehr an einen Löwen. An einen riesigen Löwen. Und auf der Stirn des Untiers glaubte Bartho zwei nach oben gebogene Hörner auszumachen. Oder waren es sogar drei? Das schwarze Tier unter ihm war im Schattendunkel nur schwer zu erkennen. Einzig seine weißen, langen Fangzähne leuchteten hell aus der Schwärze.
Es hatte eine breite Spur im Wald hinterlassen, hatte mit seinem Körper armdicke Äste abgeknickt, kleine Bäume einfach niedergetrampelt und sogar die Stämme großer Bäume beiseite gebogen, die ihm im Weg standen.
Das Untier blieb unter Barthos Baum stehen, hob den dicken, schwarzen Kopf und witterte nach allen Richtungen.

Bartho hielt die Luft an und wagte sich nicht zu rühren. Ob das Untier wohl auf Bäume klettern konnte?
Aber es schien etwas anderes zu wittern, denn es schnaubte, setzte sich wieder in Bewegung und stapfte noch schneller als zuvor durch den Wald, in die Richtung, aus der Bartho gekommen war.
Wenig später wusste Bartho, was das Untier dort gewittert und gesucht hatte. Es kam auf dem Pfad zurück, den es sich kurz zuvor gebahnt hatte, und schleifte Barthos Pferd mit sich. Das arme Tier war mausetot, das Untier musste es mit einem einzigen Biss seiner scharfen Zähne erlegt haben.
Das Scheusal verschwand mit seiner Beute im Waldesdunkel, das Knacken und Prasseln wurde leiser und verstummte schließlich ganz.
Langsam wagte es Bartho, wieder zu atmen und sich oben auf dem Ast zu bewegen. »Das arme Pferd ist nicht mehr zu retten«, sagte er sich. »Aber was jetzt? Was würde mir wohl Bartholomäus raten? Er würde sagen: Du willst eine Prinzessin befreien, die von einem Untier gefangen gehalten wird. Das Untier gibt sie nie und nimmer freiwillig her. Das bedeutet, dass du das Untier besiegen musst. Und wenn du das Untier besiegen willst, bedeutet dies, dass du vorher mit ihm kämpfen musst.«

Bartho nickte und dachte: Genau dies würde Bartholomäus sagen.
Dann machte er »Hm«, kratzte sich an seinem bartlosen Kinn und dachte: Und was würde ich sagen? Ich würde sagen: Lohnt es sich wirklich, für eine unbekannte Prinzessin sein Leben aufs Spiel zu setzen und mit einem großen, schwarzen Untier zu kämpfen, das ein Pferd in seinem Maul wegtragen kann wie unser Jagdhund eine Wildente? Nein, das lohnt sich nicht.
Daraufhin dachte er wieder eine Weile nach, machte noch ein paarmal »Hm, hm, hm« und sagte schließlich laut: »Diesmal will ich lieber auf mich selbst hören«, rutschte vom Baum herunter und schlich bis zum Waldrand. Als er draußen war, begann er zu laufen und rannte und rannte, bis er am Abend zu Hause ankam.

»Nun, hast du die Prinzessin befreit?«, fragte sein Vater, als Bartho in den Thronsaal stürzte, wo die königliche Familie gerade beim Abendessen saß.
»Nein. Und das Pferd habe ich auch verloren. Das Untier ist so scheußlich, so groß, so stark und so mächtig, dass es kein Mensch je besiegen kann. Nicht einmal ein Prinz«, sagte Bartho

und erzählte den anderen, was er erlebt hatte.
»Schade«, sagte der König, als Bartho seinen Bericht beendet hatte. »Also wird es wohl nichts mit dem halben Königreich. Na, auch gut. Wir wollen uns nicht grämen. Dann bleibt Lützelburgen eben klein. Es hat ja auch Vorteile, wenn es so winzig ist.«
»So, welche denn?«, fragte seine Frau, die Königin.
»Nun, man kann vom Schlafzimmerfenster aus das ganze Reich überschauen«, antwortete der König. »Und welcher andere König kann das schon.«
»Das stimmt«, sagte seine Frau. »Und welche andere Königin kann zwischen dem Mittagessen und dem Fünf-Uhr-Tee zweimal um ihr ganzes Land spazieren.«
»Und welcher andere Prinz kann in seinem Zimmer nachts so laut Geige spielen, dass man sich im Nachbarland über die Ruhestörung beschwert«, sagte Philipp, der jüngste Sohn. »Trotzdem will ich es noch einmal versuchen!«
»Das Geigenspiel?«, fragte Bartholomäus.
»Nein, das Prinzessin-Befreien«, sagte Philipp.
»Hast du nicht gerade von Bartho gehört, von was für einem wilden, scheußlichen Untier diese Prinzessin bewacht wird!«, rief die Königin. »Nein, nein, nein, du bleibst hier!«
Simplinella fragte: »Wie willst du das Untier besiegen? Du

kannst nicht einmal mit Pfeil und Bogen schießen. Willst du es mit deiner Geige erschlagen? Bitte, bleib hier!«
»Vielleicht hat Bartho den Wald mit der Prinzessin ja gar nicht gefunden«, sagte Philipp.
Bartholomäus schüttelte unwillig den Kopf. »Hast du nicht gehört, dass Bartho auf einen Baum geklettert ist, der inmitten vieler Bäume stand? Das bedeutet, dass es sich dabei um einen Wald gehandelt hat«, sagte er. »Und wenn er in diesem Wald war, dann bedeutet dies, dass er ihn vorher gefunden haben muss. Denn niemand kann in einen Wald hineingehen, den er nicht gefunden hat.«
»Das ist ja alles sehr logisch, großer Bruder«, sagte Philipp. »Aber soviel man weiß, gibt es nicht nur einen Wald, sondern viele. Vielleicht ist die Prinzessin in einem ganz anderen Wald? Und vielleicht wird sie ja von einem ganz anderen Untier bewacht? Von einem ganz kleinen zum Beispiel, das man in die Satteltasche stecken und mitbringen kann für den königlichen Zoo?«
»Du übertreibst, mein Sohn«, sagte der König. »Erstens haben wir gar keinen Zoo und zweitens sind Untiere nie winzig. Sonst würde man sie ja Untierchen nennen oder Untierlein.«
»Oder gar Lützeltierchen«, warf die Königin ein.

»Und trotzdem«, fuhr der König fort. »Trotzdem ist etwas dran an dem, was du sagst. Vielleicht war es wirklich der falsche Wald mit dem falschen Untier.«
»Papa, lass es mich einfach noch mal versuchen«, bat Philipp. »Ich verspreche, dass ich ganz vorsichtig bin.«
»Na gut, meinetwegen«, sagte der König. »Aber nicht mehr heute Nacht. Morgen darfst du losreiten. Morgen nach dem Frühstück.«
Am nächsten Morgen nach dem Frühstück schnallte sich Philipp die Geige auf den Rücken, schwang sich auf eines der drei Pferde, die dem König noch geblieben waren, und ritt los.
Die königliche Familie winkte ihm zum Abschied vom königlichen Speisezimmerfenster aus nach, bis er im Nachbarland hinter einer Wegbiegung verschwunden war.

»Warum ist er nicht nach Süden geritten, sondern in Richtung Sonnenuntergang?«, fragte Simplinella.
»Er wird schon wissen, was er tut«, sagte der König und schloss das Fenster. »Weiter westlich führen ja auch Wege über die Berge.«
Danach saßen alle im Thronsaal und warteten. Die Stunden ver-

gingen, schon war der Vormittag vorbei, aber Philipp kam nicht zurück. Bedrückt saß man beim königlichen Mittagsmahl, und alle stocherten mit dem königlichen Essbesteck lustlos im königlichen Mittagessen herum, ohne richtig zu essen.
Die Turmuhr schlug zwei Uhr, dann drei Uhr, schließlich vier, und gerade als die Königin sagen wollte: »Es wird ihm doch nichts zugestoßen sein?«, sprang die Tür des Thronsaals auf, und Prinz Philipp kam herein, eine hübsche junge Frau neben sich. Die junge Frau blieb ein bisschen verlegen neben der Tür stehen, aber Philipp nahm sie bei der Hand und führte sie in den Saal.
»Ich habe die Frau meines Lebens gefunden«, rief er dabei. »Liebe Eltern, darf ich euch meine Braut vorstellen!«
»Man sieht ihr gleich an, dass sie eine echte Prinzessin ist«, flüsterte die Königin ihrem Mann zu. »Diese Augen! Und diese Haare! Und dieser Hals! Nur die Ohren sind ein bisschen zu groß geraten.«
Alle erhoben sich von ihren Plätzen, der König ging auf die junge Frau zu und rief: »Willkommen in Lützelburgen, Prinzessin Henriette-Rosalinde-Audora!«
Die Prinzessin schaute zu Prinz Philipp hinüber. Sie schien etwas verwirrt zu sein.

Philipp räusperte sich erst ein paarmal und sagte dann kleinlaut: »Nein, also ... also, das ist nicht Prinzessin Henriette-Rosalinde-Audora. Das ist Prinzessin Anna-Mathilda von Schmalburghausen.«
»Schmalburghausen? Aber das ist ja nebenan. Keine zwei Länder weiter«, rief die Königin.
»Ja. Stellt euch vor, Anna-Mathilda hat dort immer mein nächtliches Geigenspiel gehört, hat sie mir gestanden. Sie fand es so schön, dass sie jedes Mal weinen musste. Sie hatte sich schon in mich verliebt, bevor sie mich kannte«, erzählte Philipp begeistert. »Und als ich heute durch Schmalburghausen ritt und sie am Fenster stehen sah, wusste ich sofort: Die oder keine!«
»Ich habe bei seinem Geigenspiel manchmal auch weinen müssen«, flüsterte Bartho seinem großen Bruder zu. »Aber nicht, weil ich es so schön fand, sondern weil ich bei diesem Gekratze nicht einschlafen konnte.«
Die Königin sah ärgerlich zu Bartho hinüber und machte »Pssst!«.
»Ja, und was ist nun mit Prinzessin Henriette-Rosalinde-Audora?«, fragte der König. »Und vor allem: Was ist mit dem halben Königreich?«
»Ihr könnt doch nicht von mir verlangen, dass ich diese Prinzes-

sin Henriette-Rosalinde-Audora heirate, wenn ich unsterblich in Prinzessin Anna-Mathilda verliebt bin!«, rief Philipp aufgebracht.

»Nun, das verlangt ja auch niemand«, beruhigte ihn seine Mutter. »Aber da dein Vater gerade das halbe Königreich erwähnte ...«

»Ja?«, fragte Philipp.

»Wie soll ich sagen ...« Die Königin zögerte ein bisschen. »Du hast Prinzessin Anna-Mathilda zwar nicht aus den Klauen eines Untiers befreit. Aber ...«

»Aber?«, fragte Philipp.

»Ich glaube, ich weiß, was deine Mutter meint«, sagte Anna-Mathilda leise zu Philipp. »Sie meint, ob dir mein Vater auch sein halbes Königreich schenkt, wenn du mich heiratest.«

»Und? Tut er das?«, flüsterte Philipp zurück.

Sie zog seinen Kopf dicht an ihren und flüsterte ihm lange ins Ohr. Philipp sagte dabei ein paarmal »Ach so?« oder »Ach ja!« und nickte.

Als Anna-Mathilda ihr Flüstern beendet hatte, schauten ihn alle erwartungsvoll an.

»Also es ist so«, fing Philipp an zu erklären. »Anna-Mathildas Vater ist ja König ...«

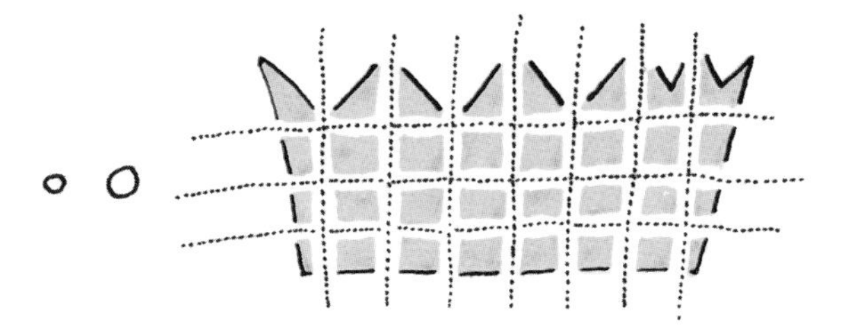

»Das wissen wir inzwischen«, sagte Bartho. »Das wissen wir. Komm endlich zur Sache!«
»Dann wisst ihr vielleicht auch, dass er sechs Töchter hat. Und wenn er jeder Tochter bei der Heirat die Hälfte seines Landes mitgeben würde, dann würde der Ehemann der ersten Tochter sein halbes Königreich bekommen, der Mann der zweiten Tochter die Hälfte von dem übrig gebliebenen, also ein Viertel, der Dritte bekäme davon wieder die Hälfte, also ein Achtel ...«
»Und der Sechste ein Vierundsechzigstel«, ergänzte Bartholomäus, der in der Lützelburger Schloss-Hochschule nicht nur das logische Denken gelernt hatte, sondern auch das Bruchrechnen.
»Ja, genau«, sagte Philipp. »Und weil es ihrem Vater peinlich gewesen wäre, wenn er dem sechsten Schwiegersohn nur ein Vierundsechzigstel seines Reiches hätte überreichen können, hat er sich dazu durchgerungen, gar nichts herzugeben und lieber alles zu behalten.«
»Dann ist unser Traum also ausgeträumt«, sagte der König ein wenig traurig. »Als du mit der Prinzessin durch die Tür kamst und wir alle dachten, es sei Henriette-Rosalinde-Audora, stellte ich mir schon vor, was wir alles mit dem neuen Land machen könnten. Ich weiß ja nicht, wie groß dieses halbe Königreich

gewesen wäre. Aber für einen Gemüsegarten hätte es bestimmt gereicht. Wir hätten Blumenkohl gepflanzt und Stangenbohnen und ein kleines Beet mit Radieschen …«

»Ich hätte lieber einen Blumengarten gehabt«, sagte die Königin. »Mit Schneerosen und Narzissen im Frühjahr, Rittersporn und Akelei im Sommer, mit Dahlien für den frühen Herbst und Winterastern für den späten. Da ist es dann draußen schon kalt und man muss Handschuhe anziehen, wenn man einen Strauß schneiden will.«

»Eine Weide für die Pferde wäre auch nicht das Schlechteste«, sagte Bartholomäus. »Mit einer Buchenhecke außen herum. Darin könnten dann meinetwegen Goldammern und Neuntöter ihre Nester bauen.«

»Und ein kleiner Sportplatz daneben, auf dem man Fechten üben kann oder Stein-Weitwurf«, sagte Bartho.

»Nun, jetzt haben wir eine Schwiegertochter, und das ist ja auch etwas Schönes«, sagte die Königin und lächelte Anna-Mathilda zu.

»Warum sollen eigentlich alle ihre Wünsche vergessen?«, fragte da Simplinella. »Noch ist Henriette-Rosalinde-Audora in den Klauen des Untiers, soviel man weiß. Ich werde losziehen, sie befreien und euch das halbe Königreich mitbringen!«

Ihr Vorschlag löste bei ihrer Familie allgemeine Heiterkeit aus. Der König, der gerade noch traurig vor sich hingestarrt hatte, fing schallend an zu lachen. Auch Anna-Mathilda wurde davon angesteckt und versuchte vergeblich, ihr Lachen zu verbergen, indem sie sich ein besticktes Seidentüchlein vor den Mund hielt.
»Was gibt's da zu lachen und zu kichern?«, fragte Simplinella ärgerlich. »Ich dachte, ihr wollt alle das halbe Königreich haben?«
»Und du befreist die Prinzessin?«, fragte Bartholomäus und bog sich vor Lachen.
»Und du besiegst das Untier?«, fragte Bartho und tippte sich mit dem Finger an die Stirn.
»Ja, ich befreie die Prinzessin und besiege das Untier! Sonst noch was?«, rief Simplinella mit zornrotem Gesicht. »Ich werde mich jedenfalls nicht so ungeschickt anstellen wie meine Herren Brüder!«
»Und dann heiratest du die Prinzessin!«, rief Philipp und bekam einen neuen Lachanfall.
»Natürlich nicht«, sagte Simplinella. »Das ist ja auch nicht Bedingung. Der Bote hat verkündet: Wer die Prinzessin befreit, bekommt das halbe Königreich. Na also. Ihr Vater hat bestimmt solche Angst um seine Tochter und macht sich solche Sorgen,

dass es ihm völlig gleichgültig ist, ob sie ihm von einem Mann oder einer Frau zurückgebracht wird. Hauptsache, sie ist wieder da. Und dafür gibt er mir gern sein halbes Königreich.«

»Diese Idee schlägst du dir bitte sofort aus dem Kopf!«, sagte die Königin streng.

»Wie stellst du dir das vor: Du kannst nicht reiten, kannst nicht mit Pfeil und Bogen schießen und nicht mit dem Schwert fechten!«, sagte ihr Vater. »Mit anderen Worten: Du kannst überhaupt nichts. Und außerdem …«

»Und außerdem?!«, fragte Simplinella aufgebracht.

»Nun, und außerdem bist du ein Mädchen und noch nicht einmal erwachsen!«

»Und ob ich erwachsen bin! Andere Prinzessinnen sind mit siebzehn Jahren schon verheiratet.«

»Warum nicht gar Großmutter!«, sagte die Königin.

»Als meine älteste Schwester geheiratet hat, war sie sogar erst sechzehn«, mischte sich Prinzessin Anna-Mathilda ins Gespräch. »Und jetzt hat sie schon zwei Kinder.«

»Na, seht ihr!«, rief Simplinella triumphierend.

»Was soll es da zu sehen geben! Ich sehe nur eines: Du bleibst hier und wirst nie und nimmer versuchen, die Prinzessin zu befreien!«, sagte der König streng. »Und jetzt geh auf dein Zim-

mer. Ich habe keine Lust, mich vor meiner zukünftigen Schwiegertochter mit meiner Tochter herumzustreiten.«
»Und ich befreie sie doch«, murmelte Simplinella, rannte aus dem königlichen Thronsaal und knallte die königliche Tür so heftig hinter sich zu, dass ein Ölgemälde von der Wand fiel, das den Großvater des Königs im Schmuck all der Orden zeigte, die er sich im Laufe seiner Regierung verliehen hatte.

Spät in der Nacht, als alle schliefen, öffnete Simplinella vorsichtig die Tür, schlich aus ihrem Zimmer in das ihres jüngsten Bruders, öffnete dort leise den Wandschrank, nahm die wildlederne Hose heraus, die Philipp vor Jahren immer beim Reiten getragen hatte und die ihm nun zu klein geworden war, nahm auch seine Jacke, seine Stiefel und eine Ledermütze mit, vergewisserte sich noch einmal, dass er fest schlief und nichts gemerkt hatte, und huschte in ihr Zimmer zurück, wo sie die Sachen anzog. Zuletzt band sie sich ihre langen Haare mit zwei Bändern zusammen, steckte sie mit Haarnadeln hoch und zog die lederne Mütze fest darüber. Beim Schein einer Kerze betrachtete sie sich im Spiegel. Sie sah recht männlich aus in Philipps Kleidern, fand sie. Nur ihr Gesicht schien ihr noch zu zart und zu blass für einen jungen Mann. Sie hielt einen Teller über die Kerzenflamme, bis dessen Unterseite schwarz vom Ruß war. Dann strich sie mit dem Zeigefinger über den Ruß und zog mit dem geschwärzten Finger ihre schmalen Augenbrauen nach. Nun sah ihr Spiegelbild schon viel verwegener aus. Danach wischte sie mit dem Finger noch leicht über die Haut zwischen Oberlippe und Nase und stellte zufrieden fest, dass der dunkle Schatten über ihrem Mund jetzt so aussah wie der erste Bartflaum bei ganz jungen Männern.

Simplinella nickte ihrem Spiegelbild zu, löschte die Kerze und schlich durch das dunkle Treppenhaus zur Schlosstür.
Leider war die Tür verschlossen und der Schlüssel steckte nicht. Simplinella ließ sich dadurch weder entmutigen noch von ihrem Plan abbringen, schlich in die königliche Hofküche, die zu ebener Erde lag, öffnete dort ein Fenster, kletterte hinaus und ging mit großen, entschiedenen Schritten durch die Nacht davon.
Als sie nach einer Weile zurückblickte, begann es im Osten schon zu dämmern. Schloss Lützelburgen stand dunkel vor dem fahlen Himmel, fast schwarz, und wirkte so flach, als sei es aus Holz ausgesägt.
Simplinella nahm den Weg, den vor ihr schon Bartholomäus und Bartho geritten waren. Es war recht kühl oben in den Bergen. Sie kreuzte die Arme über der Brust und steckte die Hände unter die Achseln.
Schnecken hatten silberne Streifen über den Pfad gezogen, der dunkel war von der Nachtfeuchtigkeit. Sie setzte ihre Schritte so, dass sie auf keine dieser Schneckenspuren trat. Wenn ich es schaffe, nie auf eine Silberlinie zu treten, wird es mir Glück bringen, verabredete sie mit sich selbst. Dann werde ich die Prinzessin befreien, das halbe Königreich bekommen und es meiner Familie schenken können.

Eine Schleiereule flog ganz nah an ihr vorbei und suchte flatternd nach einem Versteck für den Tag. Simplinella spürte den Luftzug der Eulenflügel auf ihrem Gesicht, wich unwillkürlich einen Schritt zurück und trat dabei auf eine der Schneckenspuren. Sie erschrak. War das ein böses Vorzeichen?
»Ach was, das lassen wir einfach nicht gelten«, sprach sie sich Mut zu. »Schließlich war die Eule schuld, nicht ich. Und überhaupt ist das ein dummes Spiel. Was hat eine Silberlinie mit der entführten Prinzessin zu tun!« Und absichtlich trat sie auf die nächste Schneckenspur, die ihren Weg kreuzte.
Nach einer Stunde kam sie an der Drachenhöhle vorbei. Natürlich ging sie nicht hinein, lehnte sich aber neben dem Eingang eine Weile an die Felswand, um sich aufzuwärmen. Die Steine um den Eingang herum waren wohlig warm. Das kam vom Drachen, der drinnen mit seinem Feueratem eine solche Hitze erzeugte, dass sie sogar durch den Fels zu spüren war.
Dann ging sie weiter.
Es war immer noch früh am Vormittag, als Simplinella jenseits der Berge in einem Städtchen ankam, das wie üblich von einem Königsschloss überragt wurde.
Die Wanderung hatte sie hungrig gemacht. Aus einem kleinen Laden kam ein verlockender Duft. Über der Ladentür hing eine

aus Blech ausgeschnittene Brezel. Was das wohl bedeuten mochte? Zögernd stieg Simplinella die drei Stufen hoch, die in den Laden führten, und ging hinein.
Eine mollige Frau stand hinter einem Ladentisch, wahrscheinlich die Ladenbesitzerin.
Sie nickte Simplinella freundlich zu und sagte: »Na, Junge, ein Brot gefällig?«
Simplinella blickte sich nach dem Jungen um, den die Frau angesprochen hatte. Es war aber niemand im Laden außer der Frau und ihr.
»Hast du die Sprache verloren?«, fragte die Frau.
Jetzt erst begriff Simplinella, dass sie gemeint war. Natürlich, sie war ja in Männerkleidern und die Frau hielt sie für einen Jungen.
»Bist wohl ein wenig schüchtern«, sagte die Ladenbesitzerin.
Simplinella nickte.
Die Frau holte den größten Brotlaib vom Regal, hielt ihn sich unter die Nase und sagte: »Mmm, wie so ein frisches Brot duftet! Noch ganz warm vom Backofen. Möchtest du es haben?«
»Ja, gerne«, antwortete Simplinella mit ihrer normalen Stimme und wiederholte schnell mit tiefer, verstellter Stimme: »Ja. Nur her mit dem Brot, gute Frau!«

»Na, das hab ich gleich gewusst«, sagte die Frau lächelnd und reichte ihr den Brotlaib.
»Danke, gute Frau«, sagte Simplinella mit tiefer Stimme und wandte sich zum Gehen.
»He, junger Freund! Und was ist mit meinem Geld?«, rief die Frau ihr nach.
»Mit Eurem Geld? Was soll mit ihm sein?«, fragte Simplinella und kam wieder zurück.
»Mach keine Scherze und gib mir das Geld«, sagte die Frau. Sie lächelte nicht mehr.
»Ich habe nicht Ihr Geld!«
»Das will ich auch hoffen«, sagte die Frau und warf einen schnellen Blick in die Ladenkasse. »Das will ich doch sehr hoffen.«
»Warum will Sie es dann von mir?«
»Wer: ›Sie‹?«, fragte die Frau. »Welche Sie?«
»Na, Sie!«, antwortete Simplinella ungeduldig und deutete auf die Ladenbesitzerin.
»Ich? Warum sprichst du immer von einer Sie? Warum sagst du nicht ›du‹ wie jeder Mensch?«, fragte die Frau. »Kannst du nicht normal reden?«
Das ist doch die Höhe, dachte Simplinella. Diese Frau versteht

nicht mal die einfachsten Sätze und verlangt von mir, ich solle normal sprechen! Sagt man etwa nicht zu seinem Diener »Reich Er mir mal die Tasse!« und »Binde Sie mir mal das Haarband zu!« zu seiner Kammerzofe? Nun, ich will sie nicht verärgern und nicht gleich ungeduldig werden.
»Ich verstehe nicht, was Sie ... äh ... was du willst«, versuchte sie zu erklären und wiederholte gleich noch einmal mit etwas tieferer Stimme: »Ich weiß nicht recht, was du willst, gute Frau.«
»Na also, du kannst es ja«, sagte die Frau. »Und ich wette, du weißt auch ganz genau, dass du das Brot bezahlen sollst.«
»Ach, bezahlen!«, rief Simplinella. Davon hatte sie schon gehört. Als Prinzessin musste man natürlich nie etwas bezahlen. Das machte man mit Geld oder Gold oder so etwas Ähnlichem.
»Das macht man mit Geld, oder?«, fragte Simplinella.
»Ja, mit Geld«, antwortete die Frau, die langsam zornig wurde.
»Wusste ich's doch!«, sagte Simplinella und war ganz stolz, dass ihr das noch rechtzeitig eingefallen war.
»Jetzt hör auf herumzureden und gib endlich das Geld her!«, sagte die Frau.
»Ich habe kein Geld«, sagte Simplinella. »Ich weiß nicht einmal, wie so was aussieht.«
»Kein Geld? Dann gib auf der Stelle mein Brot zurück!«, rief die

Frau und kam hinter dem Ladentisch hervor.
»Ihr Brot? Hat Sie es mir nicht geschenkt?«, fragte Simplinella. »Sie hat doch gesagt: Möchtest du ein Brot, und hat es mir gereicht!« Sie war so verwirrt, dass sie unwillkürlich wieder in der königlichen Hofsprache redete, ohne es zu merken.
»Jetzt hab ich aber genug von deinen dummen Scherzen«, rief die Frau, nahm Simplinella das Brot aus der Hand und schubste sie unsanft aus dem Laden. »Verschwinde und lass dich hier nicht wieder sehn!«
»Was ist Sie doch für eine flegelhafte und unhöfliche Frau!«, rief Simplinella ihr zu, während sie die Stufen hinunterschoss und unten unsanft mit einem Jungen zusammenstieß, der gerade am Laden vorbeiging.
»He, pass gefälligst auf!«, rief der Junge. »Hast du Herdringe auf den Augen?«
»Was seid ihr für unfreundliche Menschen hier«, sagte Simplinella. »Und ungerecht obendrein. Da wirft mich diese Frau aus dem Laden und schubst mich genau auf dich, und dann schimpfst du nicht mit der Frau, sondern mit mir! Außerdem kann ich deine Frage schon deshalb nicht beantworten, weil ich gar nicht weiß, was Herdringe sind.«
»Hat sie dich rausgeschmissen? Sieht ihr ähnlich«, sagte der

Junge. »Aber du wirst doch Herdringe kennen, oder?«
»Ich kenne nur Eheringe. Du willst mir doch nicht erzählen, dass zwei Herde heiraten und Ringe tauschen!«
Der Junge guckte Simplinella prüfend an. Er schien zu überlegen, was er von diesem fremden Jungen in der viel zu weiten Jacke und den hohen Reitstiefeln halten solle. Ob der sich über ihn lustig machte? Aber Simplinella schaute so ernsthaft zurück, dass er sagte: »Ich meine die Ringe, die oben in der Herdplatte sind und die man beiseite schiebt, wenn man starke Hitze braucht. Habt ihr denn keinen Herd zu Hause? Womit kocht ihr denn?«
»Wir kochen nicht, wir bekommen das Essen serviert«, sagte Simplinella.
»Na, da scheinst du aber aus einer recht vornehmen Familie zu stammen. Wie heißt du überhaupt?«
»Simpl...«, fing Simplinella an, besann sich aber gerade noch rechtzeitig und brach mitten im Wort ab.
»Simpel?«, sagte der Junge. »So heißen viele. Bei uns am Hof gibt es auch zwei. Simpel Jeman und Simpel Rabenhauer.«
»Bei euch am Hof?«, fragte Simplinella. »Bist du am Ende ein Prinz?«
»Prinz? Seh ich vielleicht so aus?«, fragte der Junge lachend.

»Nein, ich bin Küchenjunge oben im Schloss. Ich heiße übrigens Moritz. Aber so nennt mich nur noch meine Mutter. Alle sagen Lützel zu mir.«
»Lützel? Ein sehr schöner Name«, sagte Simplinella. »Warum heißen sie dich so?«
»Weil ich etwas zu klein geraten bin. Ich bin nämlich schon sechzehn«, sagte Lützel.
»Ich finde dich kein bisschen zu klein«, sagte Simplinella, stellte sich Rücken an Rücken mit Lützel und verglich seine Größe mit der ihren. »Du bist genauso groß wie ich. Und ich bin schon siebzehn.«
»Dann sollte man *dich* besser Lützel nennen«, sagte Lützel. »Aber nun muss ich weiter. Wiedersehn, Simpel. Man kann sich gut mit dir unterhalten. Vielleicht sehn wir uns ja mal wieder. Oder magst du ein Stück mitkommen? Vielleicht haben wir ja den gleichen Weg.«
»Gern«, sagte Simplinella und ging neben Lützel her die Gasse entlang, die zum Schloss führte.
Lützel sagte: »Der Koch ist bestimmt schon wütend, weil ich zu spät komme. Und das gibt Schläge.«
»Schläge? Wie kann er dich denn einfach schlagen!«, rief Simplinella empört.

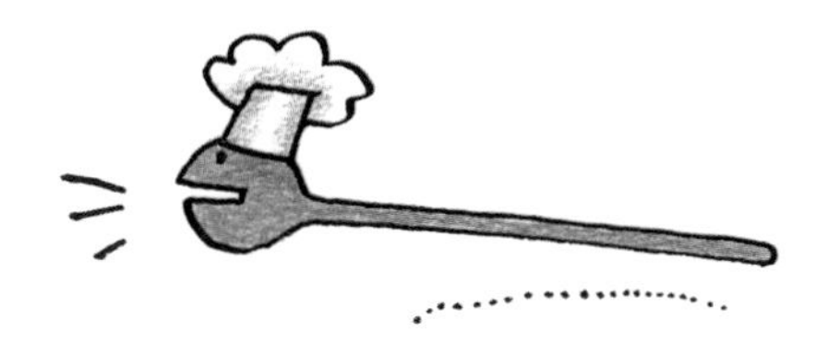

»Man gewöhnt sich dran«, sagte Lützel. »Wenn das königliche Essen nicht rechtzeitig auf dem königlichen Tisch steht, dann rügt der König den Diener, der schimpft mit dem Oberhofkoch, der staucht den Koch zusammen und der lässt dann seinen Zorn an mir aus. So ist das nun mal bei Hofe.«
»Bei euch vielleicht«, sagte Simplinella. »Aber doch nicht überall!«
»Du warst bestimmt noch nie an einem Königshof, sonst würdest du nicht so reden«, sagte Lützel. »Oder hast du schon mal ein Schloss von innen gesehn?«
»Nicht direkt«, antwortete Simplinella und wurde ein wenig rot bei dieser Luge.
»Wo arbeitest du überhaupt?«, fragte Lützel.
»Arbeiten? Ich arbeite doch nicht …«, begann Simplinella und fuhr schnell fort: »… nicht im Augenblick, weil ich gerade auf Reisen bin. Ein Reisender, verstehst du?«
»Reisender? Wir hier nennen so jemanden einen Landstreicher. Ganz so vornehm scheint deine Familie doch nicht zu sein. Sag mal ehrlich: Diese Lederstiefel hast du doch irgendwo geklaut?«
»Mein Bruder hat sie mir geliehen«, sagte Simplinella. Sie lachte. »Er weiß allerdings noch nichts davon.«

»Klaut dem eigenen Bruder die Stiefel und zieht damit durch die Welt!«, sagte Lützel. Es klang nicht vorwurfsvoll, eher anerkennend. »Manchmal hätte ich auch Lust einfach loszuwandern, ohne zu wissen, wohin. Genau wie du.«
»Oh, ich weiß schon, wohin«, sagte Simplinella. »Ich will ein Untier finden.«
»Eines finden? Ich würde eher versuchen, nicht von einem Untier gefunden zu werden.«
»Genauer gesagt suche ich nicht ein Untier, sondern eine Prinzessin, die von ihm bewacht wird.«
»Doch nicht etwa diese Prinzessin Henriette-Rosalinda-Sowieso, um die diese Boten vorgestern so viel Trara gemacht haben?«, fragte Lützel und blieb stehen.
»Genau die!«, rief Simplinella. »Was weißt du von ihr? Ist dies hier das Königreich, in dem Prinzessin Henriette-Rosalinde-Audora entführt worden ist?«
»Nein, nein«, sagte Lützel. »Wenn du da hinwillst, musst du schon ein Stündchen weiterwandern. Das ist zwei Königreiche weiter. Unser Prinz hat auch gleich versucht, die Prinzessin zu befreien. Wie so viele. Aber er hat es mit der Angst zu tun gekriegt, als er das Untier sah, und ist wieder nach Hause geritten. Wie alle anderen auch.«

»Ja, es sieht schrecklich aus«, sagte Simplinella. »Wie ein Stier mit einem Löwenkopf.«
»Nein, nein. Es sieht einem großen Eber ähnlich, mit Stoßzähnen wie ein Elefant, und statt der Zunge hat es eine Schlange, die Gift spuckt«, erzählte Lützel, während sie weiter die Gasse entlanggingen.
»Iiih«, sagte Simplinella und schüttelte sich.
»Das ist aber nur das eine. Im anderen Wald haust ein noch schrecklicheres. Es hat sechs Beine und rennt schneller, als ein Falke fliegt.«
»Oh«, sagte Simplinella. Ihr wurde ganz flau im Magen. Und mit so einem Untier wollte sie es aufnehmen? Mit einem Mal kam ihr der ganze Plan sehr tollkühn vor. Waghalsig und sehr, sehr voreilig. »Ich glaube, ich muss mich mal kurz hinsetzen«, sagte sie und setzte sich am Rand der Gasse nieder.
»Was hast du?«, fragte Lützel. »Ist dir nicht gut?«
»Es ist vielleicht der Hunger«, sagte sie. »Ich habe heute noch nichts gegessen und kein Geld, mir etwas zu kaufen.«
»Hunger? Das ist schlecht.« Lützel schob seine Mütze zurück, kratzte sich am Kopf und dachte offensichtlich nach. Dann hatte er einen Entschluss gefasst. »Ich schmuggle dich in die Schlossküche. Dort gibt's genug zu essen.« Er streckte Simplinella die

Hand hin und zog sie hoch. »Komm mit, Simpel!«
»Ich weiß nicht«, sagte Simplinella zögernd. »Eigentlich will ich ja erst die Prinzessin befreien.«
»Lass das lieber bleiben«, sagte Lützel und zog sie mit sich. »Das ist was für Prinzen und nicht für einen Landstreicher wie dich. Und mit Hunger im Bauch kannst du sowieso kein Untier besiegen.«
»Du hast Recht«, sagte Simplinella, die ihren Hunger immer stärker spürte. »Vielleicht sollte ich es wirklich bleiben lassen.«
Als sie den Fuß des Schlossbergs erreicht hatten, verließen sie die Straße und schlugen sich seitwärts in die Büsche. Lützel kannte einen schmalen Trampelpfad durch das Gestrüpp, das den Hang hochwuchs und das Schloss wie eine dichte, grüne Mauer umgab.
»Warte hier, Simpel!«, befahl er, als sie den grünen Wall durchquert hatten und vor der Schlosswand standen. »Hier kann dich keiner sehn. Hinter dem Fenster über uns ist die Schlossküche. Ich geh jetzt wieder zurück zur Straße und durchs Schlosstor hinein. Wenn mal keiner in der Küche ist, öffne ich das Fenster und du steigst schnell hoch zu mir. Dann werden wir weitersehn.«
Simplinella wartete.

»Solch einen Hunger hatte ich schon lange nicht mehr«, sagte sie, während sie dort unter dem Fenster saß, die Arme um die Knie geschlungen. »Eigentlich noch nie. Hatte ich überhaupt schon mal richtigen Hunger? Genau genommen hatte ich höchstens Appetit. Dann habe ich dem Diener geklingelt und der hat mir durch den Küchenjungen eine Scheibe geröstetes Weißbrot mit Trüffelleberwurst schicken lassen oder ein Butterbrot mit dünn geschnittenen Radieschen.«
Das Wasser lief ihr im Mund zusammen, während sie an all die Herrlichkeiten dachte, die sie sich jetzt bestellen könnte, wenn sie zu Hause geblieben wäre. Sie müsste nur klingeln und schon kame der Küchenjunge heraufgehastet. Den hatte sie eigentlich noch nie beachtet. Seltsam, dass sie nicht einmal wusste, wie er mit Vornamen hieß.

Pssst! Simpel! Sim-pel!!« Lützels leise, drängende Stimme kam aus dem Fenster über ihr. Er hatte es so behutsam geöffnet, dass sie es gar nicht gehört hatte. »Schnell, komm rein! Der Koch ist gerade im Schlosshof. Schnell!«
Er half ihr, als sie nach drinnen kletterte. Was für ein merkwürdiger Tag, dachte sie. Mein ganzes Leben lang bin ich noch nie

durchs Fenster geklettert. Und heute gleich zweimal. Und immer durch ein Küchenfenster. Einmal raus, einmal rein.
»Hier«, sagte Lützel, als sie drinnen auf dem gekachelten Küchenboden stand. »Hier, iss!« Er gab ihr in die eine Hand eine dicke Scheibe Brot, in die andere ein großes Stück Fleischwurst.
»Wie soll ich die Wurst denn essen?«, fragte Simplinella und schaute sich nach Messer und Gabel um.
»Na, hineinbeißen«, sagte er. »Dumme Frage.«
»Aber da ist doch noch die Haut dran!«
»Ja, und?«, fragte er, beugte sich über die Wurst in ihrer Hand, biss ein großes Stück ab und kaute genüsslich. »Schmeckt gut. Besonders die Haut.«
»Meinst du?«, fragte Simplinella und biss auch hinein. »Du hast Recht«, sagte sie, mit vollen Backen kauend. Eine Prinzessin, die mit vollem Mund spricht, dachte sie. Wenn das meine Mutter hören würde!
Sie hatte gerade ein großes Stück Brot abgebissen und wollte zum zweiten Mal in die Wurst beißen, als sie jemand von hinten an der Schulter packte und herumriss. Es war der Koch, der unbemerkt in die Küche gekommen war, ein großer, kahlköpfiger Mann mit breiten Schultern, der durch die hohe Kochmütze wie ein Riese wirkte. Seine Gesichtsfarbe erinnerte an eine überreife Tomate.

»Wen haben wir denn da?«, schrie er. »Wie kommt dieser Bursche in die Küche und wie an unsere Wurst!«
Simplinella war so erschrocken, dass sie kein Wort herausbrachte. Schnell warf sie Brot und Wurst auf einen der Tische und versuchte aus der Küche zu rennen.
Da hatte sie der große Koch aber schon am Jackenkragen gepackt und hob sie am Genick in die Höhe wie einen Stallhasen, dass ihre Füße einen halben Meter über dem Boden zappelten.
»Wer ist der Kerl?«, schrie er Lützel an. »Hast du ihn mitgebracht?«
»Er … er heißt Simpel und ist mein Freund«, sagte Lützel schnell. »Er … er will sich hier bewerben als Küchenjunge. Er will mir helfen.«
Mit einem flehenden Blick bat er Simplinella, auf seinen Schwindel einzugehen und ihm nicht zu widersprechen.
»Er will dir helfen? Beim Würsteklauen will er dir helfen, was?«, schrie der Koch und ließ Simplinella einfach fallen. »Hier, das ist für eure Frechheit!« Und schon hatte er Lützel und Simplinella eine gewaltige Ohrfeige versetzt.
Simplinella wusste erst gar nicht, wie ihr geschah. Dann rieb sie sich ihre brennende Wange, ging zornig auf den Koch los und schrie: »Wie kann Er es wagen, mich zu schlagen!«

»Sei ruhig!«, zischte Lützel ihr zu. »Sag nichts!«
»Er? Er kann es wagen, dir für diese Unverschämtheit noch ein zweites Mal auf dein freches Maul zu schlagen, du Knirps«, rief der Koch und schlug noch einmal zu. »Und jetzt wirst du so lange arbeiten, bis du den Diebstahl abgedient hast. Hier, putz den Salat!«
Er stellte ein großes Sieb voll Salat vor ihr auf den Tisch, ging zu Lützel hinüber und sagte: »Und du hackst die Kräuter. Aber vergiss nicht den Dill. Du weißt, die Prinzessin wünscht reichlich Dill an den Salat und schickt ihn zurück, wenn er ihr nicht schmeckt. Ich gehe noch mal hinaus und helfe dem Oberhofkoch. Er ist draußen beim königlichen Weinhändler und macht eine Weinprobe. Wenn ich wiederkomme, seid ihr fertig mit der Arbeit. Verstanden? Und wehe, ihr geht noch einmal an die Wurst! Das angebissene Brot könnt ihr meinetwegen aufessen. Das kann man sowieso niemandem mehr anbieten.«
»Danke, Meister«, sagte Lützel mit einer Verbeugung.
»So ein Grobian! So ein Rohling!«, zischte Simplinella, als der Koch den Raum verlassen hatte. »Schlägt mich! Und macht sich auch noch lustig über mich! So ein Flegel!«
»Lustig? Was meinst du damit?«, fragte Lützel, der schon dabei war, die Petersilie klein zu hacken.

»Hast du's nicht gehört? Den Salat soll ich putzen. Schuhe kann man putzen, aber doch nicht Salat.«
»Er meint, du sollst ihn klein schneiden, die welken Blätter entfernen und ihn waschen«, erklärte Lützel ihr. »Komm, ich zeig's dir. Woher sollst du so was auch können. Ist ja eigentlich Mädchenarbeit. Wenn man nicht gerade Küchenjunge ist wie ich.«
»Mädchenarbeit!«, sagte Simplinella unwillig und putzte den Salat, wie es ihr Lützel gezeigt hatte.
Nach einer Weile ging die Küchentür auf. Es war aber nicht der große Koch, der hereinkam, sondern eine sehr alte, krumm gewachsene Frau.
Lützel begrüßte sie herzlich. »Na, wie geht's heute, Josefa? Was macht der Rücken?« Und zu Simplinella gewandt sagte er: »Das ist Josefa, unsere Magd hier.«
»Es geht, es geht«, antwortete Josefa. »Und wer ist der Neue da? Hab ich den schon mal gesehn?«
»Das ist Simpel, mein Freund. Er hilft mir beim Salatputzen«, sagte Lützel.
»Wie freundlich von ihm. Der Koch wird dich loben, wenn er sieht, dass du einen Helfer mitgebracht hast«, meinte die Alte.
»Er hat ihn schon gesehn«, sagte Lützel, erzählte aber nicht, auf welch schmerzhafte Art der Koch sie bereits gelobt hatte.

Josefa fing gleich an, Zwiebeln zu schälen und zu schneiden. Nebenher fragte sie Simplinella ein bisschen aus.
»Woher kommst du? Du bist doch nicht von hier, oder?«
»Ach, von weiter her«, antwortete Simplinella. »Von der anderen Seite der Berge.«
»Von so weit?«, wunderte sich die alte Josefa. »Und du möchtest hier Küchenjunge werden?«
»Eigentlich möchte ich ja eine Prinzessin befreien, die von einem Untier gefangen gehalten wird«, sagte Simplinella. »Aber nach all dem, was Lützel mir von den Untieren hier in der Gegend erzählt hat, weiß ich nicht mehr, ob ich das wirklich möchte und nicht lieber wieder nach Hause gehn sollte.«
»Jaja, die Untiere heutzutage sind nicht mehr das, was sie früher waren«, sagte die alte Josefa und seufzte. »Wie so vieles. So ist nun mal die heutige Zeit.«
»Warum? Wie waren sie denn früher?«, fragte Simplinella.
»Sie waren nicht derart schrecklich und abscheulich. Zu meiner Zeit hat es noch harmlose Untiere gegeben. Die haben manchmal sogar entlaufene Katzen zurückgebracht. Als ich ein kleines Mädchen war, hat ein Untier meiner Freundin den Weg aus dem Wald gezeigt, als sie sich verirrt hatte. Jaja.« Sie seufzte noch einmal. »Aber von so einem hat man schon lange nicht mehr gehört.«

»So eines würde aber auch keine Prinzessin entführen«, sagte Lützel.
»Warum nicht! Vielleicht lieben gerade die freundlichen Untiere Prinzessinnen. Die wilden haben doch gar keinen Sinn für so was Schönes«, sagte Simplinella und fühlte sich mit einem Mal wieder zuversichtlich. »Weiß Sie noch …« Sie hielt inne und setzte noch einmal neu an. Es fiel ihr immer noch schwer, zu erwachsenen Leuten »du« zu sagen. »Weißt du noch, Josefa, wo dieser Wald war, in dem sich damals deine Freundin verirrt hatte?«
»Das war weit im Osten. Einer von diesen finsteren Wäldern im Osten«, sagte Josefa. »Nicht hier. Im Nachbarland oder sogar noch eines weiter.«
»Im Osten!«, sagte Simplinella. »Diesen Wald werde ich suchen. Genau den.«
»Aber bitte erst, wenn du mit dem Salat fertig bist«, sagte Lützel. »Sonst kriegen wir Ärger mit dem Koch.«
»Keine Angst, ich lass dich nicht im Stich«, beruhigte ihn Simplinella. »Obwohl ich nur durchs Küchenfenster klettern müsste. Dann wäre ich weg, und der Koch könnte meinetwegen schimpfen, so lange er will.«
»Und ich würde allein seinen Zorn zu spüren kriegen«, sagte

Lützel. »Ich werde mal lieber das Fenster zumachen, damit du nicht in Versuchung kommst.«
Gerade als er zum offenen Fenster gehen und es schließen wollte, ertönte von draußen ein lautes Hornsignal.
»Das ist bestimmt ein reitender Bote, der gleich etwas ausrufen wird!«, sagte Josefa und humpelte an Lützel vorbei zum Fenster, so schnell es ihre alten Knochen erlaubten. »Kommt doch! Wollt ihr nicht hören, was er zu verkünden hat?«
Lützel und Simplinella gingen auch zum Fenster und schauten neben der Alten nach draußen.

Es war ein Bote, wie Josefa vermutet hatte. Am Fuß des Schlossbergs hielt er gerade sein Pferd an, blies noch einmal ins Horn und rief dann: »Hört Leute, hört! Prinzessin Simplinella von Lützelburgen ist heute Nacht spurlos verschwunden. Ihr Vater, der König von Lützelburgen, ist in höchster Sorge und verspricht demjenigen, der seine Tochter findet, das halbe Königreich!«
»Mein armer Papa!«, murmelte Simplinella und wandte sich vom Fenster ab, damit die beiden anderen nicht sahen, wie gerührt sie war.

So große Sorgen macht er sich um mich, dachte sie. Halb Lützelburgen will er für mich hergeben! Nie hätte ich gedacht, dass er mich so sehr mag. Ich werde ihm beweisen, dass ich es auch wert bin. Das werde ich. Wenn ich nach Haus komme, bringe ich ein halbes Königreich mit, dann werden sie staunen und dankbar sein.
Lützel sagte: »Merkwürdig. Jetzt ist das schon die zweite Prinzessin, die verschwunden ist. Das scheint ja richtig Mode zu werden.«
Simplinella gab keine Antwort.
Lützel betrachtete sie prüfend: »He, Simpel, sind das Tränen? Weinst du?«
»Ich glaube, das kommt von den geschälten Zwiebeln«, sagte Simplinella und wischte sich mit dem Handrücken über die Augen.
»Jaja, die beißen, diese Zwiebeln, wenn man's nicht gewohnt ist. Lassen die Tränen munter fließen«, sagte die alte Josefa mit einem Seitenblick zu Simplinella. »Genau wie liebe, traurige Erinnerungen.«
»Ich finde, du solltest lieber nach dieser Prinzessin Simplinella von Lützelburgen suchen, Simpel. Meinst du nicht auch?«, sagte Lützel. »Da hätte sogar ich Lust mitzumachen. Um die zu

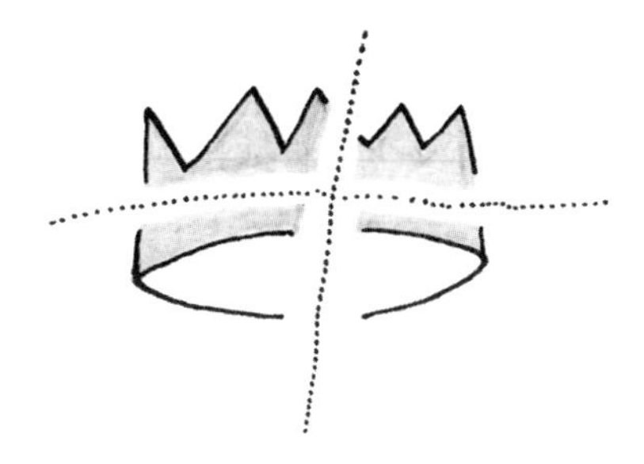

finden, müssten wir vielleicht gar kein Untier besiegen. Ich hab schon manchmal überlegt, ob ich nicht wegrennen soll von hier, weg von diesem groben Kerl, diesem Koch.«
»Das wirst du hübsch bleiben lassen«, sagte die alte Josefa. »Wegrennen! Was die jungen Leute heutzutage für Ideen haben! Wegrennen! Womit willst du dein Brot verdienen?«
Lützel hörte ihr nicht zu.
»Was meinst du dazu, Simpel?«, fragte er. Er redete sich immer mehr in Begeisterung. »Wir suchen diese Simplinella, und wenn wir sie gefunden haben, holen wir uns die Belohnung ab und teilen uns das halbe Königreich. Jeder kriegt ein Viertel. Was hältst du davon? Machst du mit?«
»Davon halte ich wenig«, sagte Simplinella.
»Sehr vernünftig, junger Mann«, lobte Josefa sie. »Sehr vernünftig.«
»Wenig? Aber warum denn?«, fragte Lützel.
»Weil …« Was sollte sie nur für eine Antwort geben? »Weil dieses Lützelburgen so klein ist, dass es sich überhaupt nicht lohnt. Ich kenne das Land, ich war mal dort. Ein Viertel Königreich ist kaum größer als der Schlosshof hier.«
»Na, da hörst du es!«, sagte Josefa zu Lützel.
»Dann bieten wir dem König von Lützelburgen einfach unser

halbes Land wieder an«, schlug Lützel vor. »Er kauft es bestimmt gern zurück und wir sind reich.«
»Sieh mal an. So geschäftstüchtig ist er schon mit seinen fünfzehn Jahren!«, sagte die alte Josefa kopfschüttelnd.
»Ich denke, du bist sechzehn?«, sagte Simplinella.
»Bin ich ja auch fast«, sagte Lützel. »Das ist doch jetzt nicht wichtig. Wichtig ist, ob du mit mir die Prinzessin suchst.«
»Eine Prinzessin suche ich gern mit dir. Aber nicht die Simplinella. Wenn schon, dann Prinzessin Henriette-Rosalinde-Audora«, sagte Simplinella.
»Du bist ja noch viel unvernünftiger als …« Josefa kam nicht dazu, ihren Satz zu beenden, denn die Küchentür wurde aufgerissen und ein dunkel gekleideter Mann kam herein.
Simplinella erkannte gleich, dass er ein königlicher Diener war, denn er trug fast die gleiche Uniform wie ihr Kammerdiener zu Hause.
»Wo ist der Koch? Wo der Oberhofkoch? Wieder mal keiner in der Küche?«, rief er.
»Sie sind unter den Arkaden, beim Weinhändler. Sie machen eine Weinprobe«, gab Lützel Auskunft.
»Betrinken sich wieder mal auf Kosten des Königs, diese Saufköpfe, wie fein!«, sagte der Diener. »Die Prinzessin möchte auf

der Stelle eine kleine Zwischenmahlzeit haben, einen Salat mit viel Dill und dazu zwei geröstete Weißbrotscheiben mit Sauerrahmbutter. Ich gehe wieder nach oben. Und ihr sagt dem Koch Bescheid! Auf! Worauf wartet ihr noch?«

Lützel war schon losgerannt und kam kurz darauf mit dem Koch und dem Oberhofkoch zurück. Der Oberhofkoch war ein ganzes Stück kleiner als der Koch, dafür aber umso dicker. Er keuchte vom schnellen Gehen, trank erst mal das große Glas leer, das er noch von der Weinprobe in der Hand trug, stellte es ab und bellte eine Reihe von kurzen Befehlen durch die Küche:

»Essig her! Weg mit dem Weinessig! Kräuteressig! Öl her! Distelöl! Salz und Pfeffer! Zwiebelchen! Salatbesteck!«

Lützel rannte in der Küche hin und her, brachte das Gewünschte und stellte es vor den Oberhofkoch auf den Tisch.

»Josefa, Weißbrote rösten! Nicht zu braun!«, befahl der Oberhofkoch inzwischen. »Koch, eine Salatschüssel und einen Teller mit Goldrand! Kräuter schon gehackt?«

»Hier, Herr Oberhofkoch«, sagte Lützel und reichte ihm die kleine Schüssel mit den Kräutern. »Es ist besonders viel Dill dabei.«

»Das will ich auch hoffen!«, sagte der Koch, der mit der Salatschüssel angehetzt kam. »Wo ist der Salat?«

»Salat her!«, befahl auch schon der Oberhofkoch. Simplinella brachte ihm das große Sieb mit dem Salat. Jetzt erst schien er sie wahrzunehmen. »Wer ist das denn?«, fragte er den Koch.
»Der Gehilfe des Küchenjungen, gewissermaßen«, sagte der Koch.
»Haben bei uns neuerdings die Küchenjungen Gehilfen?«, schrie der Oberhofkoch. »Wer hat ihn eingestellt?«
»Niemand, gewissermaßen«, antwortete der Koch.
»Dann ist er entlassen«, rief der Oberhofkoch. »Sag ihm, er soll gehen!«
»Du sollst gehen«, sagte der Koch zu Simplinella.
»Ich hab's schon gehört«, sagte Simplinella. »Ich bin ja nicht taub. Wiedersehn, Lützel. Es war schön, dich kennen gelernt zu haben. Vielleicht sehn wir uns ja noch mal wieder.«
»Wiedersehn, Simpel«, sagte Lützel. »Und viel Glück!«
Simplinella wandte sich zum Gehen.
»Halt, hier geblieben!«, schrie der Oberhofkoch.
»Ich?«, fragte Simplinella.
»Wer sonst!«, rief der Oberhofkoch. Und zum Koch sagte er: »Der Gehilfe soll noch mit dem Küchenjungen zusammen den Salat und die Brote hochbringen. Dann kann er gehen.«
»Du wirst mit Lützel zusammen den Salat und die Brote zur

Prinzessin bringen«, sagte der Koch zu Simplinella. »Dann darfst du gehn.«
Inzwischen hatte der Oberhofkoch bereits in rasender Eile die Salatblätter in die Schüssel befördert, die Zutaten darüber gekippt, alles gut gemischt und währenddessen dem Koch zugerufen: »Brote mit Sauerrahmbutter bestreichen, nicht zu dünn und nicht zu dick! Messer und Gabel! Brote auf den Teller! Abmarsch!«
Und keine zwei Minuten später stiegen Lützel und Simplinella schon die Stufen des königlichen Treppenhauses hinauf, unterwegs zur Prinzessin. Simplinella trug die gläserne Schüssel mit dem Salat, Lützel den Teller mit den gerösteten Broten.
Vor einer hohen Tür im ersten Stock blieb Lützel stehen, nahm die Mütze ab, klemmte sie sich unter die Achsel und klopfte.
»Trete Er ein!«, rief eine Mädchenstimme von drinnen.
Die beiden betraten das Zimmer. Die Prinzessin saß auf einem Sofa, ein Bein auf dem Boden, ein Bein hochgelegt. Sie trug ein hellblaues Kleid, das gut zu ihren blonden Haaren passte.
»Oh, heute kommen gleich zwei Küchenjungen«, sagte sie und stand auf. Sie wandte sich an Simplinella und fragte: »Ist Er neu?«
»Ja, Prinzessin«, antwortete Simplinella.

Die Prinzessin ging um Simplinella herum und betrachtete sie. »Er ist hübsch. Sehr hübsch sogar. Den werden wir behalten. Er sieht nicht so bäurisch aus wie die meisten aus dem Gesinde hier«, sagte sie. »Aber trotzdem ist Er ein bisschen ungehobelt. Noch nicht erzogen.«
»Ich?«, fragte Simplinella erstaunt.
»Ja, Er«, sagte die Prinzessin. »Weiß Er nicht, dass man die Mütze abnimmt, wenn man mit einer Prinzessin spricht?«
»Die Mütze?«, wiederholte Simplinella, um Zeit zu gewinnen. Wenn sie die Mütze abnahm, würde man ihre langen Haare sehen und alles wäre verraten. Die Prinzessin würde nach dem König rufen, der würde bestimmt herausfinden, wer Simplinella war und woher sie kam. Und es würde damit enden, dass er sie zusammen mit vielen königlichen Grüßen von einem Diener zu ihrem königlichen Vater zurückbringen ließ. Nein, die Mütze durfte sie auf keinen Fall abnehmen.
»Ich kann die Mütze nicht abnehmen. Die Salatschüssel ist zu schwer. Man muss sie mit beiden Händen halten.«
»Stell Er die Schüssel dort auf das Tischchen. Dann hat Er beide Hände frei und kann die Mütze ziehen, wie es sich gehört«, sagte die Prinzessin.
Simplinella stellte die Schüssel ab, ging rückwärts zur Tür und

verabschiedete sich mit einer schnellen Verbeugung. »Auf Wiedersehn. Ich gehe. Ich bin schon weg«, sagte sie dabei.
Aber die Prinzessin rief sie zurück. »Bleib Er hier!« Ihre Stimme klang schrill. »Er soll sofort seine Mütze abnehmen und mir den nötigen Respekt erweisen. Dann darf Er gehn.«
»Jetzt nimm doch endlich die Mütze ab, Simpel!«, flüsterte Lützel. »Mach schon, es gibt sonst Ärger!«
»Leider kann ich die Mütze nicht abnehmen, Prinzessin«, sagte da schon Simplinella. »Es wäre zu gefährlich für Euer schönes Haar.«
»Was will Er damit sagen?«
»Ich habe Läuse, Prinzessin«, log sie. Sie wusste selbst nicht genau, was man sich darunter vorzustellen hatte. Ihr Bruder Philipp hatte einmal erzählt, dass man den Gärtnerkindern die Haare geschoren hatte, weil sie Läuse hatten. Das waren wohl recht eklige Tiere, die sich auf dem Kopf einnisteten.
»Läuse?«, fragte die Prinzessin und wich einen Schritt zurück. »Was ist das? Sind das Tiere?«
»Sie wohnen in den Haaren, sind ungefähr so groß wie Hummeln und saugen Blut.« So jedenfalls stellte sie sich Läuse nach der Erzählung ihres Bruders vor. »Möchtet Ihr mal eine Laus sehen? Aber Vorsicht, sie springen gern von Kopf zu Kopf!«

Simplinella tat so, als wolle sie ihre Mütze abnehmen.
»Wage Er es ja nicht, die Mütze abzunehmen!«, rief die Prinzessin, rannte zur Tür und schrie ins Treppenhaus: »Wache! Man komme schnell! Wache! Nehmt diesen abscheulichen Kerl hier fest! In den Turm mit ihm! Wagt es, sich der Prinzessin zu nähern mit diesen Tieren unter der Mütze! Wache!«
»Simpel, komm! Nichts wie weg, sonst landen wir noch beide im Turm!«, rief Lützel, rannte an der verdutzten Prinzessin vorbei ins Treppenhaus, stürmte die Stufen hinunter, quer über den Schlosshof und durch das Schlosstor hinaus. Simplinella versuchte an seiner Seite zu bleiben, schaffte es aber nicht, mit ihm Schritt zu halten. Sie war es nicht gewohnt, so schnell zu rennen. Noch dazu in Philipps großen Stiefeln.
Lützel blieb stehen, bis sie ihn eingeholt hatte, fasste sie bei der Hand und zog sie mit sich, den Schlossberg hinunter. »Mach doch schneller!«, rief er dabei. »Vielleicht schicken sie sogar einen Reiter aus, der uns fangen und in den Turm werfen soll.«
»Uns? Aber dich doch nicht!«, rief Simplinella, während sie schwer atmend neben Lützel den Berg hinabrannte. »Du hast nichts getan. Warst nicht unhöflich zur Prinzessin. Du kannst im Schloss bleiben. Geh lieber zurück! Sie haben es nur auf mich abgesehen.«

»Da kennst du die Prinzessin schlecht. Und den Oberhofkoch!«, sagte Lützel. Inzwischen hatten sie die ersten Häuser der Stadt erreicht. Lützel zog Simplinella durch einen Torbogen in einen schmalen, schattigen Hof. Er schien sich dort auszukennen, denn er ging zielsicher auf einen Holzzaun zu und schob eine der Latten zur Seite. Sie zwängten sich durch die Lücke und befanden sich nun in einem der Gemüsegärten, die auf der Rückseite der Häuser angelegt waren.
»Hier findet uns vorerst keiner«, sagte Lützel, setzte sich im Schutz einer Himbeerhecke auf die Erde und forderte Simplinella durch eine Geste auf, sich zu ihm zu setzen. »Die verzeihen mir nie, dass ich jemand mit Läusen ins königliche Schloss gebracht habe, nie!«, erklärte er ihr. »Mann, Simpel, du schaffst es aber auch spielend, mich von einer Schwierigkeit in die andere zu bringen. Erst krieg ich Schläge wegen dir und jetzt bin ich vogelfrei. Jetzt muss ich wohl mit dir durch die Welt ziehn. Das hättest du mir ja wirklich vorher sagen können, dass du Läuse hast!«
»Aber ich habe doch gar keine«, sagte Simplinella.
»Du hast keine?«, rief Lützel und sprang auf. »Man jagt uns aus dem Schloss, und Simpel hat gar keine Läuse! Und das sagt er einfach so, als wäre nichts dabei! Am liebsten würde ich dir

dafür eine dritte Ohrfeige verpassen. Warum hast du denn so was behauptet?«
»Es tut mir Leid, Lützel«, sagte Simplinella. »Aber die Prinzessin war derart hochmütig und so eingebildet, da wurde ich einfach trotzig. Ich habe gedacht: ›Diese arrogante Kuh wird mich nicht dazu bringen, meine Mütze vor ihr abzunehmen!‹ Und so hab ich das mit den Läusen erfunden.«
Das war zwar nicht der einzige Grund gewesen, weshalb sie die Mütze nicht gezogen hatte. Es kam aber der Wahrheit ziemlich nahe.
»Arrogante Kuh, da hast du Recht«, sagte Lützel. »Eine arrogante Kuh, das ist sie. Und weißt du, was der Oberhofkoch ist? Ein fettes Schwein! Ein dickes fettes Schwein. Und der Koch ...«
»... ist ein dummer Ochse«, ergänzte Simplinella.
Beide lachten. »Eigentlich ist es mir ganz recht, dass ich jetzt von da oben weg bin«, sagte Lützel. »Ich muss nur noch meiner Mutter schonend beibringen, dass ich mit dir losziehe und Prinzessin Simplinella suche.«
»Prinzessin Henriette-Rosalinde-Audora!«, verbesserte Simplinella. »Hast du's schon wieder vergessen?«
»Meinetwegen auch die Henriette-Rosalinde-Sowieso. Hauptsache, jeder von uns kriegt ein Viertel Königreich«, sagte Lützel.

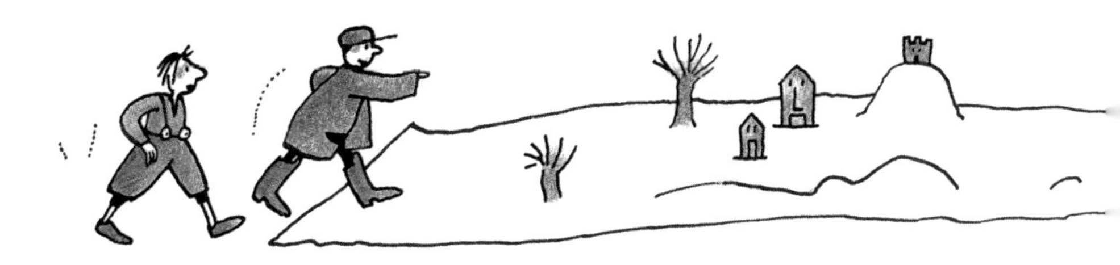

»Eigentlich wollte ich ja meiner Familie ein halbes Königreich schenken, nicht nur ein Viertel«, sagte Simplinella zögernd.
»Und mir willst du nichts abgeben?«, rief Lützel. »Du bist mir ein schöner Freund!«
»Du hast Recht«, sagte Simplinella. »Wegen mir hast du deine Stelle verloren und bist auf der Flucht. Da ist es nur gerecht, dass du den gleichen Teil bekommst. Also gut. Meine Familie freut sich bestimmt auch über ein Viertel Königreich.«
»Was glaubst du, wie meine Mutter sich freut, wenn ich zurückkomme und sagen kann: ›Mama, wir ziehen um! Mir gehört jetzt ein Viertel Königreich mit einigen Häusern, vielen Gärten, ein paar Wiesen und einem Brunnen.‹ Sie hat sich nämlich schon immer einen Brunnen gewünscht. Meinst du nicht auch, Simpel, dass bei einem Viertel Königreich der eine oder andere Brunnen dabei ist?«
»Ganz bestimmt. Und deswegen werden wir jetzt nach Osten gehn und den Wald suchen, von dem Josefa gesprochen hat«, sagte Simplinella. »Wo ist denn hier bei euch Osten?«
»Da, wo es überall ist«, antwortete Lützel. »Immer dort, wo die Sonne aufgeht.«

Eine Stunde später wanderten die beiden schon weit draußen vor der Stadt in Richtung Osten. Machte der Weg einen Bogen und wies nach Süden oder Norden, verließen sie ihn und gingen einfach querfeldein. Sie stapften durch wilde Wiesen, auf denen das sommerdürre Gras kniehoch wuchs, wanderten über abgeerntete Roggenfelder, sprangen über Gräben und überwanden Bäche und schmale Flussläufe, indem sie ihre Schuhe auszogen und barfuß durchs Wasser wateten. Erst wenn sie wieder auf einen Weg trafen, der direkt nach Osten führte, folgten sie ihm.

Bevor sie die Stadt verlassen hatten, waren Lützel und Simplinella durch ein Gewirr von Gärten und Hinterhöfen zu dem Haus geschlichen, in dem Lützel wohnte. Simplinella hatte im Hof gewartet, während sich Lützel drinnen von seiner Mutter verabschiedete. Es hatte lange gedauert, und als Lützel herauskam, war er es, der Tränen in den Augen hatte.
Inzwischen hatte er den Abschiedsschmerz längst vergessen, fing manchmal sogar unvermittelt an zu singen, während sie nebeneinander hergingen, und schien es kein bisschen zu bereuen, dass er sich mit seinem Freund Simpel in dieses ungewisse Abenteuer gestürzt hatte.
Schon bald überquerten sie die Grenze zum nächsten kleinen Königreich.
Vor ihnen lag ein Städtchen mit einem Königsschloss auf einem Hügel in der Mitte.
»Es sieht aus wie alle Schlösser überall«, stellte Lützel sachkundig fest. »Nur der Hauptturm ist vielleicht ein bisschen niedrig.«
»Unser Turm ist noch viel niedriger«, sagte Simplinella, merkte sofort, dass sie sich verplappert hatte, und fügte hinzu: »Ich meine den Turm in dem Land, aus dem ich komme.«
»Wenn ich mir vorstelle, wie sie da drinnen jetzt alle bei der

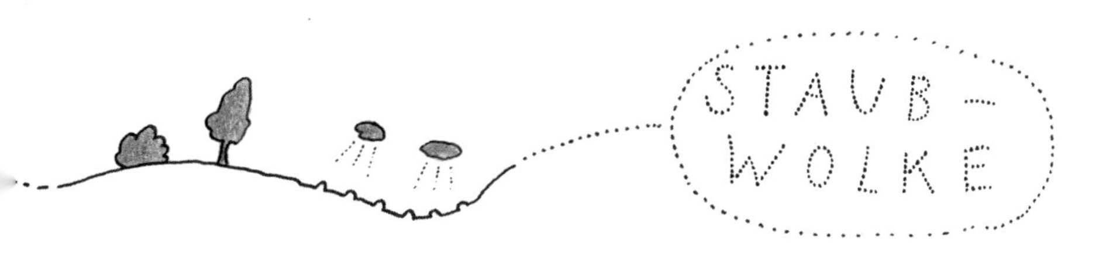

Arbeit sind, die Diener und der Oberhofkoch, der Koch und der Küchenjunge, bin ich richtig froh, dass wir hier draußen sind«, sagte Lützel. »Hast du Lust durch die Stadt zu gehen oder wandern wir lieber außen herum?«
»Lieber außen herum«, antwortete Simplinella.
Das taten sie dann auch und wanderten in einem großen Bogen um die Stadt.
Ab und zu rasteten sie, tranken Wasser von einer Quelle oder auch mal aus einem Bach und aßen von den Broten, die Lützels Mutter ihnen in einem Leinenbeutel mitgegeben hatte.
Am späten Nachmittag sahen sie weit vor sich einen Wald, der sich dunkel von den ausgetrockneten Wiesen und den Stoppelfeldern abhob. Es dauerte aber noch eine ganze Weile und ihre Schatten wurden schon lang und länger, bis sie endlich so nah herangekommen waren, dass sie die struppigen Umrisse einzelner Baumkronen unterscheiden und erkennen konnten, wie hoch und dicht dieser Wald war.
Auf dem Stoppelacker, den sie gerade überquerten, wuchs ihnen eine lang gestreckte, gelbbraune Wolke entgegen. Ein Reiter wirbelte sie auf, zog einen Schleier aus Staub und Strohteilchen hinter sich her. Er ritt schnell und trieb sein Pferd mit der Reitpeitsche an. Rasch kam er näher. Lützel und Simplinella blieben

stehen und sahen ihm entgegen. Es war ein junger Mann mit wehenden langen Haaren.
»Der ist recht vornehm gekleidet«, sagte Lützel. »Nur die Stiefel passen nicht recht zu seiner schönen Jacke. Die sehen genau wie deine aus, Simpel.«
»Es sind Reitstiefel«, sagte Simplinella. »Er scheint ein Prinz zu sein.«
Der Reiter nickte ihnen kurz zu und ritt schnell vorbei. Aber nach einigen Metern schien er es sich anders überlegt zu haben, denn er hielt sein Pferd an, wendete es und kam zu ihnen zurückgeritten.
»Wo wollt ihr hin?«, fragte er. »Wer seid ihr?«
»Wir sind Wanderer und wandern nach Osten«, sagte Simplinella.
»Ja, wir sind Wanderer, friedliche Wanderer«, bestätigte Lützel.
»So, Wanderer«, wiederholte der Reiter und betrachtete sie mit leichtem Misstrauen. »Ich gebe euch einen guten Rat, ihr Wanderer. Kommt nicht auf den Gedanken, euren Weg durch diesen Wald zu nehmen. Macht einen großen Bogen drum herum. Er ist gefährlich.«
»Wie kann ein Wald gefährlich sein?«, fragte Lützel.
»Der Wald selbst nicht. Aber das Biest, das darin haust!«

»Das Biest? Ein Untier?«, fragte Simplinella aufgeregt.
»Ein Untier, ja«, sagte der Prinz. »Es ist groß wie ein Baum, ist behaart wie ein Bär und hat spitze gelbe Zähne. Geht ihm aus dem Weg. Es hätte mich leicht fressen können. Ich meine: verspeisen.«
»Und Ihr habt mit diesem Ungeheuer gekämpft. Wie tapfer«, rief Simplinella.
»Dazu habe ich es erst gar nicht kommen lassen«, sagte der Prinz. »Als es am Waldrand auftauchte, habe ich klugerweise kehrtgemacht und bin schnell davongeritten.«
»Und das Untier hat Euch verfolgt«, sagte Lützel. »Dieses Biest!«
»Verfolgt?«, fragte der Prinz. »Nein, das hat es natürlich nicht. Untiere verlassen nie ihren Wald, wisst ihr das nicht? Sie gehen ungern aufs freie Feld. Also hört auf meine Warnung und hütet euch, diesen Wald zu betreten.«
Damit wendete er noch einmal sein Pferd und ritt davon.
»Ein Untier! Ein Wald mit einem Untier!«, sagte Simplinella aufgeregt zu Lützel. »Ich glaube, wir sind am Ziel.«
»Am Ziel? Du hast doch gerade gehört, was das für ein schreckliches Biest ist. Willst du dich mit dem anlegen? Ohne mich. Ich bin nicht lebensmüde. Sogar der Prinz ist vor ihm davongelau-

fen«, rief Lützel. »Nicht einen Schritt gehe ich in diesen Wald.«
»Ich denke, du willst mit mir die Prinzessin befrein«, rief Simplinella zurück. »Was ist mit dem Brunnen, den du deiner Mutter schenken willst?«
»Lass es uns noch einmal überlegen, ja?«, sagte Lützel. »Lass uns eine Nacht darüber schlafen, ja? Es wird sowieso bald dunkel und du willst doch nicht etwa heute noch in diesen grässlichen Wald gehen! Lass uns erst mal darüber nachdenken, wo und wie wir die Nacht verbringen.«
»Damit hast du Recht«, sagte Simplinella. »Lass uns also überlegen, wie und wo wir die Nacht verbringen. Wir brauchen eine geschützte Stelle. Eine kleine Mulde oder einen dichten Busch, unter den wir kriechen können.«
»Wir suchen uns lieber eine hübsche kleine Feldscheune, wo man sich ins weiche Heu legen kann«, sagte Lützel.
»Ich sehe weit und breit keine Feldscheune. Siehst du vielleicht eine?«, fragte Simplinella.
»Nein. Aber wir können ja ein Stück weitergehn, um den Wald herum. Vielleicht gibt's eine auf der anderen Seite.«
Simplinella war einverstanden und so gingen sie um den Wald herum, der in der zunehmenden Dämmerung immer dunkler und bedrohlicher wirkte.

Als sie ungefähr zwei Meilen gewandert waren, trafen sie auf eine kleine Schafherde. Die Tiere lagen dicht aneinander gedrängt und schienen dort am Waldrand übernachten zu wollen.

»Merkwürdig«, sagte Lützel nachdenklich, blieb stehen und kratzte sich unter der Mütze am Kopf. »Sehr merkwürdig.«

»Was ist merkwürdig an einer Schafherde?«, fragte Simplinella.

»Es ist kein Schäfer bei der Herde. Die Schafe stehen ganz alleine da. Ich meine: Sie liegen da. Das Gras um sie herum ist ziemlich abgefressen. Das bedeutet: Sie sind schon lange hier.«

»Jetzt sprichst du wie mein großer Bruder«, sagte Simplinella. »Der denkt immer so logisch. Und jetzt denke ich auch mal logisch: Wenn sie die ganze Zeit hier sind, dann bedeutet das, dass sie gar keine Angst haben.«

»Angst wovor? Vor uns?«, fragte Lützel.

»Nein, vor dem Untier. Wenn sich das Biest jeden Tag ein Schaf schnappen und es auffressen würde, wären die Tiere schon längst davongerannt. Schafe sollen ja dumm sein. Aber doch nicht so dumm, dass sie friedlich darauf warten, gefressen zu werden.«

»Du meinst, es ist ein harmloses Untier? So wie das, von dem Josefa erzählt hat?«, fragte Lützel. »Aber warum ist der Prinz dann so schnell davongeritten?«

»Weil es so gefährlich aussah«, sagte Simplinella. »Vielleicht ist es ja wirklich ganz wild. Ich weiß auch nicht, was ich denken soll. Am besten, wir schlafen erst mal darüber, wie du vorgeschlagen hast. Wollen wir nicht hier bei den Schafen übernachten? Man fühlt sich dann nicht so allein. Eine Scheune finden wir sowieso nicht.«

Lützel war einverstanden und so gingen sie um die Schafherde und suchten nach einem geeigneten Platz.

»Schau mal!« und »Was ist das denn!«, riefen Lützel und Simplinella fast gleichzeitig, als sie im Halbkreis um die Schafe herumgegangen waren.

In einer kleinen Mulde standen säuberlich aufgestapelt einige Körbe und Kisten, darauf zwei Daunenkissen, daneben drei Flaschen, ein Krug, ein großer Spiegel, ein fahrbarer Kleiderständer, an dem Frauenkleider hingen, darunter stand ein silbernes Essgeschirr und etwas abseits lag eine umgekippte Blumenvase ohne Blumen. Wenn jemals Blumen in der Vase gesteckt hatten, so waren sie bestimmt von den Schafen aufgefressen worden.

»Was bedeutet das?«, fragte Simplinella.

»Das sieht ganz nach einem Umzug aus«, sagte Lützel. »Aber wer will da wo hinziehn? Ich sehe weit und breit kein Haus.«

»Und ich weit und breit keinen Menschen«, ergänzte Simplinella. »Meinst du, man hat etwas dagegen, wenn wir uns zum Schlafen die Kissen ausleihen und uns mit den Kleidern zudecken? Es wird kalt in der Nacht.«
»Wer sollte was dagegen haben? Ist doch niemand hier«, sagte Lützel, setzte sich auf ein Kissen und fing an, neugierig in einem der Körbe zu kramen.
»Meinst du, man hat was dagegen, wenn wir uns ein paar Stückchen von diesem Marzipan hier nehmen?«, fragte er.
»Wer sollte was dagegen haben? Ist doch niemand hier«, antwortete Simplinella. »Gib mal was her davon! Mmm, Marzipan mit Schokoladenüberzug. Wer hätte gedacht, dass es uns heute Abend so gut geht!«
Die beiden legten sich im Gras zum Schlafen nieder.
»Gute Nacht, Simpel«, sagte Lützel.
»Gute Nacht, Lützel. Schlaf gut!«, sagte Simplinella.
Ein paar der Schafe, die merkten, dass sie Gesellschaft bekommen hatten, kamen neugierig näher und stupsten die zwei freundlich mit ihren Mäulern an. Dann legten sie sich zu den beiden fremden Menschen und schliefen neben ihnen ein.

Gegen Morgen wurde Simplinella davon geweckt, dass Lützel sie an der Schulter rüttelte. Unwillig drehte sie sich um, wandte ihm den Rücken zu und versuchte weiterzuschlafen.
Irgendetwas stank entsetzlich. Ich hätte nie geglaubt, dass Schafe derart widerlich stinken, dachte sie im Halbschlaf.
»Simpel, wach auf!« Lützels Mund war fast an ihrem Ohr. Er flüsterte. »Sei ganz still und beweg dich nicht! Das Untier ist da! Schau, dort!«
Nun war sie hellwach.
Die Sonne kam gerade über den Horizont und beleuchtete mit den ersten Strahlen ein grässliches Biest, ein Untier, das sich am Kleiderständer zu schaffen machte, die Kleider herabriss und sie wütend durcheinander warf.
Es war bestimmt mehr als drei Meter hoch, ging aufrecht wie ein Mensch, war am ganzen Körper behaart und hatte eine dicke, breite Nase. Links und rechts vom Gesicht standen ihm die Haare ab, so wild und struppig wie die Lavendelbüsche im königlichen Vorgarten von Lützelburgen. Das Erstaunlichste aber waren seine großen Füße. Sie waren fast so groß wie der Herd in der Schlossküche. Die Zehen hatten die Länge einer gut gewachsenen Salatgurke.
Jetzt schien es das Interesse an den Kleidern verloren zu haben,

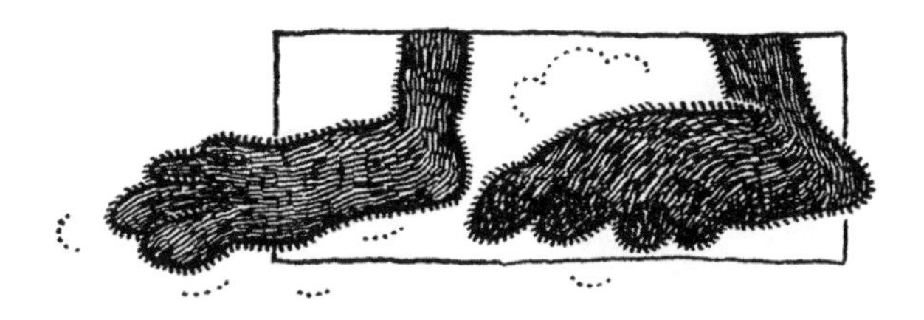

denn es nahm sich einen der Körbe vor, holte ein paar Brote heraus und verschlang sie gierig.
»Hongr«, murmelte es dabei. »Gross Hongr.«
»Es redet. Ein Untier, das reden kann!«, flüsterte Simplinella.
»Es redet nicht. Das klingt nur so ähnlich wie Sprechen. Es knurrt«, flüsterte Lützel zurück.
»Nein, es hat geredet!«, widersprach ihm Simplinella. Ein bisschen zu laut, denn das Untier wandte den Kopf, schaute zu ihnen hin, warf die Brote in den Korb zurück und ging auf die zwei zu. Oder besser: Es trampelte auf sie zu, denn gehen konnte man sein dröhnendes Stampfen kaum nennen.
Den beiden schlug das Herz bis zum Hals. Nun war das Untier bei ihnen und riss mit einem Ruck das Kleid weg, mit dem sich Lützel zugedeckt hatte, um sich vor der Nachtkälte zu schützen. Lützel zitterte vor Angst. »Tu mir nichts!«, wimmerte er.
Aber das Untier hatte es gar nicht auf ihn abgesehen, sondern nur auf das Kleid. »Kloid! Pronzosssn!«, grunzte es zufrieden. »Pronzosssn Kloid!«
Mit dem Kleid in der großen behaarten Hand ging es zum Waldrand, drehte sich noch einmal zu den beiden um, fauchte und zeigte dabei seine gelben, spitzen Zähne. Dann verschwand es im Waldesdunkel.

»Und es hat doch gesprochen!«, sagte Simplinella zu Lützel, als sie sich von ihrem Schreck erholt hatte.
»Du hast Recht gehabt«, gab Lützel zu. »Es hat ›Pronzossn‹ gesagt. Damit meint es bestimmt ›Prinzessin‹. Und ›Kloid‹ oder so ähnlich. Es hat die ganze Zeit nach dem Kleid gesucht, das ich zum Zudecken genommen hatte. Was will es damit? Es ist ihm doch viel zu klein.«
»Verstehst du nicht? Es will dieses Kleid einer Prinzessin bringen. Und ich ahne, wie diese Prinzessin heißt!«
»Du meinst Prinzessin Simplinella?«, fragte Lützel aufgeregt.
»Nein. Henriette-Rosalinde-Audora natürlich! Du wirst es nie lernen«, rief Simplinella. »Komm schnell! Wir müssen hinter dem Untier her. Es führt uns bestimmt zur geraubten Prinzessin.«
»Hinter dem Untier her? In den Wald?«, fragte Lützel. »Hast du seine spitzen Zähne gesehn?«
»Ja. Vielleicht ist es trotzdem harmlos. Es hat uns jedenfalls nichts getan«, sagte Simplinella. »Außerdem folgen wir ihm natürlich heimlich und ohne, dass es uns bemerkt.«
»Ja, heimlich. Das ist gut«, sagte Lützel. »Ich komme mit. Aber du gehst voraus, Simpel. Du bist schließlich zwei Jahre älter als ich.«

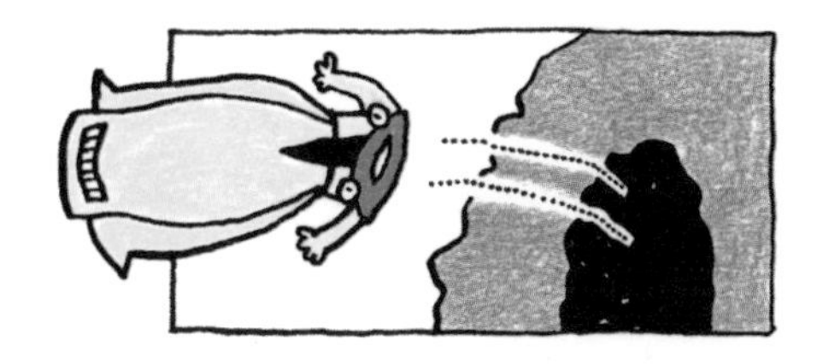

»Zwei? Gestern hast du noch behauptet, du wärst sechzehn«, sagte Simplinella.
»Ist doch egal, ob fünfzehn oder sechzehn. Der Ältere geht jedenfalls voraus.«

Vorsichtig gingen sie zum Waldrand und folgten dann dem schmalen Pfad, den das Untier durch das Unterholz getrampelt hatte.
Sie schlichen und bemühten sich, nicht auf herabgefallene Äste zu treten. Das Knacken des Holzes hätte sie verraten können.
Als ihnen ein widerlicher Gestank heftig in die Nase stach, wussten sie, dass sie dem Untier ganz nahe gekommen waren, und schlichen noch behutsamer weiter. Simplinella blieb plötzlich stehen und zeigte Lützel durch eine Geste, dass er neben sie kommen solle.
»Da!«, flüsterte sie und wies durch die Zweige. »Eine Höhle. Ich glaube, das Untier ist da drin.«
»Psst! Da redet jemand«, flüsterte Lützel.
Aus der Höhle hörte man eine Frauenstimme. »Schon wieder das falsche Kleid! Ich sagte nicht, dass du mir das zitronengelbe Kleid bringen sollst, ich sagte, das maisgelbe! Gelb ist nicht gelb.

Dass so was nicht in deinen dicken Kopf geht. Aber was kann man von einem Untier schon Besseres erwarten!«
»Pronzosssn orlos. Orlos Konn-och-sonn!«, grunzte das Untier.
Die weibliche Stimme sagte: »Jetzt lass deine frechen Bemerkungen und hol endlich das richtige Kleid! Ich kann schließlich nicht meinem Retter in diesem zerknitterten Plisseekleid gegenübertreten.«
»Die da drinnen ist eine Prinzessin, man hört es sofort am Tonfall«, sagte Lützel. »Nur Prinzessinnen können so hochmütig sprechen.«
»Ich finde, dass sie ganz und gar nicht wie eine Prinzessin spricht«, sagte Simplinella. »Oder hältst du mich auch für hoch…«
Beinahe hätte sie sich verraten.
Zum Glück hatte Lützel nicht zugehört, denn das Untier kam mit dem Kleid über der Schulter aus der Höhle und trottete an ihnen vorbei auf den Waldrand zu.
Lützel und Simplinella konnten sich gerade noch rechtzeitig hinter einem dichten Busch verbergen.
»Und ob das eine Prinzessin ist«, sagte Lützel. »Probieren wir's einfach aus!«
Simplinella legte die Hände an den Mund und rief: »Prinzessin

Henriette-Rosalinde-Audora, seid Ihr da drinnen?«
»Wer ruft nach mir?« Ein blonder Lockenkopf zeigte sich im Höhleneingang. Die Prinzessin legte die Hand über die Augen und schaute in die Richtung, aus der Simplinellas Stimme gekommen war.
»Ich. Euer Retter!«, rief Simplinella und trat aus dem Schatten.
»Ihr seid sehr schön, junger Mann. Und auch sehr mutig«, sagte Henriette-Rosalinde-Audora. »Aber seid Ihr auch ein Prinz? Euer Anzug sieht nicht sehr königlich aus.«
»Ich komme aus einem königlichen Haus«, rief Simplinella.
»Wie schön. Dann dürft Ihr mich befrein!«, sagte Henriette-Rosalinde-Audora und kam aus der Höhle.
»Das mit dem königlichen Haus war gut. Sehr gut, Simpel!«, flüsterte Lützel Simplinella zu und stieß sie verschwörerisch in die Seite. »Das halbe Königreich haben wir schon so gut wie gewonnen. Später sagst du dann einfach, du hättest sie falsch verstanden, weil wir doch gerade aus der Küche eines königlichen Hauses gekommen sind.«
Henriette-Rosalinde-Audora streckte Simplinella die Hand entgegen und sagte verschämt: »Ich danke Euch, mein Retter.«
»Bitte, gern geschehen«, antwortete Simplinella mit einer kleinen Verbeugung.

»Und jetzt dürft Ihr mich küssen!«, hauchte Henriette-Rosalinde-Audora, schloss die Augen und hielt Simplinella die Lippen entgegen, zum Kuss gespitzt.
»Küssen? Hm. Es gibt da allerdings ein kleines Problem«, sagte Simplinella.
»Problem? Was für ein Problem«, fragte Henriette-Rosalinde-Audora und machte die Augen wieder auf.
»Ich bin zwar aus königlichem Haus und mein Vater ist selbstverständlich auch ein König, aber …«
»Aber?!«, fragte Henriette-Rosalinde-Audora.
»… aber ich bin kein Prinz«, vollendete Simplinella den angefangenen Satz.
»Kein Prinz? Quatsch!« Henriette-Rosalinde-Audora schüttelte ärgerlich den Kopf. »Jeder, der von einem König abstammt, ist ein Prinz.«
»Ist das so?«, fragte Simplinella. »Euer Vater ist doch auch König. Seid Ihr denn ein Prinz?«
»Ihr beliebt zu scherzen. Ich bin eine Prinzessin, wie man sieht«, sagte Henriette-Rosalinde-Audora und streifte sich eine Locke aus der Stirn. »Und eine hübsche noch dazu.«
»Ich auch«, sagte Simplinella, nahm die lederne Mütze ab und löste die Bänder, sodass ihr die langen Haare über die Schultern

fielen. »Gestatte, dass ich mich vorstelle: Prinzessin Simplinella von Lützelburgen.«
Man hätte nicht entscheiden können, wer bei dieser Offenbarung verblüffter guckte, Lützel oder Prinzessin Henriette-Rosalinde-Audora.
»Was, du bist ... bist ... Ihr seid ein Mädchen und seid sogar eine Prinzessin?«, stotterte Lützel.
»Was, kein mutiger und edler Prinz? Das ist Betrug!«, schrie Henriette-Rosalinde-Audora. Und die Zornfalten auf ihrer Stirn ließen sie mit einem Mal recht hässlich aussehen. »Denke nur nicht, dass du jetzt das halbe Königreich bekommst! Ich werde mich bei meinem Vater beschweren. Nicht einen Fußbreit wirst du bekommen, nicht einen einzigen!«
»Und ob ich das halbe Königreich bekomme!«, rief Simplinella. »Schließlich habe ich die Bedingung erfüllt und dich befreit.«
»Befreit? Ich bin noch lange nicht befreit. Ich bin noch immer im Wald«, schrie Henriette-Rosalinde-Audora. »Du wirst mich jedenfalls nicht befrein. Ich befreie mich selbst!«
Damit rannte sie los und stieß dabei fast mit dem Untier zusammen, das gerade mit einem maisgelben Kleid in der Hand zurückkam.
»Geh mir aus dem Weg, du Trampel!«, schrie sie, schubste das

Untier ein Stück zur Seite, riss ihm das Kleid aus der großen, behaarten Hand und rannte damit durch den Wald nach draußen.
»Ich fürchte, Prinzessin, das halbe Königreich seid Ihr los, bevor Ihr es überhaupt bekommen habt«, sagte Lützel.
»Pronzossssn?«, fragte das Untier mit großen Augen, deutete auf Simplinella und fing vor Freude an zu tanzen und zu hopsen. »Pronzosssn, Pronzossn!«, grunzte es dabei. Es klang fast wie Singen. »Pron-zosssn, Pron-zosssn!«
»Du kannst ruhig weiter ›du‹ zu mir sagen«, sagte Simplinella zu Lützel. »Nenn mich meinetwegen Simpel, wie bisher.«
Lützel kratzte sich am Kopf, wie immer, wenn er nachdachte, und sagte schließlich zögernd: »Hör mal, Simpel, wenn du diese Prinzessin Simplinella bist, nach der gesucht wird, dann habe ich dich ja jetzt gefunden, oder? Dafür kann dein Vater ruhig ein halbes Königreich herausrücken. Keine Sorge, wir teilen es uns natürlich, schließlich haben wir dich zusammen gefunden, gewissermaßen. Jeder ein Viertel, so war's ausgemacht.«
Simplinella setzte sich auf den Waldboden. »Alles war umsonst«, sagte sie traurig. »Alles hab ich falsch gemacht. Was soll ich jetzt nur meinen Eltern sagen. Ein halbes Königreich wollte

ich gewinnen. Und was ist nun? Lützelburgen wird nicht um ein halbes Königreich größer, sondern um die Hälfte kleiner. Und ich bin schuld.« Sie legte die Stirn auf die angezogenen Knie, damit Lützel die Tränen nicht sehen konnte, die ihr in die Augen schossen.
»Um ein Viertel«, verbesserte Lützel sie. »Nur um ein Viertelchen.«
Als er merkte, dass auch dies ihre Tränen nicht stoppen konnte, sagte er:
»Na gut. Es muss ja nicht gerade ein Viertel von eurem Königreich sein, wenn dir das solchen Kummer macht. Aber ein kleiner Finderlohn sollte schon drin sein.«
»Du wirst das Viertel kriegen. Ich spreche mit meinem Vater«, sagte Simplinella und schniefte, den Kopf immer noch auf die Knie gelegt. »Abgemacht ist abgemacht. Schließlich bist du wegen mir von zu Hause weggelaufen.«
Plötzlich legte sich eine schwere Hand auf ihre Schulter. Es musste das Untier sein, das da vor ihr stand. Niemand anders konnte derart widerlich stinken.
Sie blickte auf. Das Untier hatte aufgehört zu tanzen und schaute ihr aufmerksam ins Gesicht.
»Troorog?«, grunzte es fragend. »Pronzosssn troorog?«

»Troorog?«, wiederholte Simplinella. »Ach, meinst du traurig?«
»Troorog«, sagte das Untier und nickte bestätigend.
»Ja, ich bin ein bisschen traurig«, sagte sie. »Aber das vergeht schnell.«
»Konn-och-sonn!«, grunzte das Untier und deutete auf sich. »Konn och sonn!«
»Ja, das kannst du sehn«, antwortete Simplinella.
Das Untier schüttelte unwillig den Kopf, deutete auf sich und wiederholte noch einmal, ganz langsam und bedeutungsvoll: »Konnoch-sonn!«
»Konnochsonn? Was meinst du damit? Ich kann dich nicht verstehn.«
»Konnoch-sonn! Och! Och Konoch-sonn!«, sagte das Untier noch einmal geduldig.
»Königssohn! Meinst du: Königssohn?«, fragte Simplinella.
»Joooo!«, grunzte das Untier begeistert. »Och Konochsonn!«
»Ich Königssohn«, übersetzte Simplinella. »Willst du damit sagen, dass du ein Königssohn bist?«
»Joooo!«, schrie das Untier begeistert, und vor Freude, dass man es endlich verstand, trampelte es mit seinen dicken Füßen auf den Boden, dass die umstehenden Bäume bebten.
Nach diesem Freudenausbruch beugte es sich wieder zu Simpli-

nella hinunter, deutete auf sich und grunzte: »Orrlos Konnoch sonn.«
»Ja, ein ohrloser Königssohn, wie traurig«, sagte Simplinella. Sie hatte natürlich gleich gesehen, dass das Untier ohrlos war, und hatte sich gewundert, wie es überhaupt verstehen konnte, was sie sagte. Aber taktvoll, wie eine Prinzessin nun mal ist, hatte sie es nicht danach gefragt.
Lützel war da weniger zurückhaltend. »Du kannst trotzdem recht gut hören, auch ohne Ohren«, sagte er aufmunternd.
Das Untier schüttelte den Kopf.
»Noooin!«, rief es. »Orloss Konnochson. Pronzosssn orlos Konochsonn!«
»Orloss? Was meint es immer mit ›Orloss‹«, fragte Simplinella mit einem ratlosen Blick zu Lützel.
»Ehrlos?«, schlug der vor.
Das Untier schüttelte noch heftiger und unwilliger den Kopf.
»Erlass …«, probierte sie aus. »Erlös …«
Das Untier nickte heftig. »Orlooso!«
»Erlöse?«, fragte sie.
»Jooo. Orlos Konochsonn«, grunzte das Untier.
»Erlöse den Königssohn? Dich?«
»Joooo!«

»Ich soll dich erlösen?«, fragte sie noch einmal nach.
»Joo! Fozobor«, rief das Untier und trat vor Ungeduld von einem Bein aufs andere.
»Verzaubert? Verzaubert hat man dich?«
»Jooo!«
»Und wie kann ich dich erlösen?«
»Koss!«
»Durch einen Kuss?«
»Joooo!«
»Na gut«, sagte Simplinella. »Bitte sei mir nicht böse, wenn ich mir dabei die Nase zuhalte!« Sie stand auf.
Das Untier ging in die Hocke, bis sich sein Maul etwa auf gleicher Höhe wie Simplinellas Mund befand, schloss die Augen und stülpte die Lippen nach vorn.
»Jetzt sieht es genauso aus wie vorhin Prinzessin Henriette-Rosalinde-Audora!«, sagte Lützel leise zu Simplinella und lachte.
Simplinella lachte auch, beugte sich vor und drückte dem Untier einen ganz schnellen Kuss aufs Maul.
Ein donnerndes Geräusch ertönte, das Untier wurde sehr viel kleiner, dafür aber auch sehr viel schöner, und vor Simplinella stand ein Prinz in prächtigen, golddurchwirkten Kleidern. Er

war recht jung, kaum älter als Simplinella, und wirklich sehr hübsch.
Er fiel vor ihr auf die Knie und sagte: »Vor Euch kniet Prinz Edmund, der einzige Sohn des Königs von Großburgen. Ein böser Zauber hielt mich in der Gestalt eines wilden Tiers gefangen und nur der Kuss einer Prinzessin konnte mich befreien. Ihr habt mich erlöst, schöne Unbekannte. Wollt Ihr meine Gemahlin werden?«
»Ich Eure Frau werden?«, fragte Simplinella. »Wie kommt Ihr auf diesen Gedanken?«
Prinz Edmund schien ein wenig irritiert. »Nun, es ist doch üblich, dass der Erlöste die Frau heiratet, die ihn erlöst hat«, sagte er. »Lest Ihr denn keine Bücher?«
»Doch, schon«, antwortete Simplinella zögernd. »Aber wir kennen uns doch gar nicht.«
»Heiratet mich und wir werden viele, viele Jahre Gelegenheit haben, uns kennen zu lernen!«, rief Prinz Edmund feurig.
»Hmmm«, Simplinella überlegte. »Ich hätte vorher noch eine wichtige Frage.«
»Fragt mich, meine Schöne«, sagte der Prinz.
»Würdet Ihr denn auch diese Prinzessin Henriette-Rosalinde-Audora heiraten, wenn sie Euch geküsst hätte?«

»Hätte sie mich geküsst, wäre sie es gewesen, die mich erlöst hat. Aber sie hat mir ja nie zugehört«, sagte der Prinz.
»Das beantwortet noch nicht meine Frage«, sagte Simplinella. »Hättet Ihr sie zur Frau genommen?«
»Aber selbstverständlich hätte ich sie geheiratet. Oder haltet Ihr mich etwa für einen undankbaren Menschen?«, sagte der Prinz.
»Dann will ich Euch nicht«, sagte Simplinella. »Ich heirate doch keinen, der so eine dumme Pute zur Frau nehmen würde.«
»Simpel, überleg's dir! Großburgen ist das größte Königreich weit und breit!«, flüsterte Lützel Simplinella zu.
»Ihr wollt mich nicht heiraten?«, fragte der Prinz verwirrt und erhob sich von den Knien. »Wie soll ich Euch dann meine Dankbarkeit bezeugen?«
»Oh, ich wüsste schon, wie«, sagte Simplinella. »Schenkt mir einfach ein Stück von Eurem Königreich. Es muss ja nicht gerade die Hälfte sein. Es genügt, wenn mein Vater darauf einen Gemüsegarten anlegen kann, meine Mutter einen Blumengarten, meine Brüder einen Reit- und Sportplatz haben und dann vielleicht noch ein bisschen Land außen herum.«
»Das ist alles?«, fragte Prinz Edmund. »Das und noch viel mehr lege ich Euch gerne zu Füßen, Prinzessin.«

»Ja? Das ist aber freundlich von Euch«, rief Simplinella. »Wirklich sehr freundlich.«
»Es wird mir eine Freude sein, all das der schönen Prinzessin schenken zu dürfen, von der ich nicht einmal den Namen weiß.«
»Simplinella von Lützelburgen«, sagte Simplinella mit einer leichten Verbeugung. »Entschuldigt, dass ich mich noch nicht vorgestellt habe.«
»Dann habe ich allerdings auch eine wichtige Frage«, sagte Prinz Edmund.
»Fragt mich, lieber Prinz«, sagte Simplinella.
»Lützelburgen liegt ja jenseits der Berge, Großburgen aber diesseits«, begann er.
»Da habt Ihr Recht!«, rief Lützel. »Ich weiß, was Ihr sagen wollt!«
Simplinella schien immer noch nicht begriffen zu haben, was der Prinz damit meinte. »Ja und?«, fragte sie.
»Man kann mein Geschenk an Euch doch nicht auf einen Karren legen und zu Euch fahren. Was nützt Eurer Familie ein Teil meines Reiches, wenn Euer Vater erst über die Berge klettern muss, wenn er seinen Gemüsegarten gießen will?«, fragte Prinz Edmund.

»Das stimmt«, sagte Simplinella. »Daran habe ich nicht gedacht.«
»Und deshalb mache ich Euch einen anderen Vorschlag«, fuhr der Prinz fort. »Land kann man nicht versenden, aber Gold. Mein Vater ist ein sehr reicher König. Wie wäre es, wenn er Euch acht Fässer voller Goldstücke nach Lützelburgen schickt? Davon kann Eure Familie so viel Land jenseits der Berge kaufen, wie sie will.«
»Ihr seid wirklich ein edler Prinz«, rief Simplinella. »Und Ihr habt gute Ideen. Erlaubt Ihr, dass ich einen Augenblick mit meinem Freund Lützel rede?«
»Sprecht mit Eurem Freund. Bitte!«, sagte Prinz Edmund. Er schien gekränkt zu sein. Ob er wohl ein bisschen eifersüchtig war?
Simplinella zog Lützel beiseite und flüsterte: »Was hältst du davon: ein Fass voll Gold als Tausch gegen den vierten Teil von Lützelburgen. Ich rate dir, den Tausch anzunehmen, denn Lützelburgen ist winzig, musst du wissen.«
»Und ob ich das annehme«, flüsterte Lützel zurück. »Mann, Simpel, äh ... Simplinella, da wird sich meine Mutter vielleicht freuen. Ich weiß schon, was ich ihr davon kaufe: ein Gasthaus. Wir nennen es ›Wirtshaus zum wilden Untier‹. Klingt gut, was?

An Sonn- und Feiertagen gibt es warme Mahlzeiten. Ich koche nämlich gern, musst du wissen, wenn nicht gerade ein Oberhofkoch hinter mir steht und schimpft. Und dann …«
»Ist Er endlich fertig mit Flüstern?« Prinz Edmund unterbrach Lützels Redefluss. »Und darf man vielleicht auch erfahren, was es da Wichtiges zu besprechen gab?« Er schien wirklich eifersüchtig zu sein.
Simplinella sagte: »Ich schlage vor, dass Ihr nur sieben Fässer Gold nach Lützelburgen schickt. Und das achte …«
»Und das achte?«, fragte Prinz Edmund.
»Das achte bekommt dieser Junge hier«, sagte Simplinella und deutete auf Lützel. »Er hat mir geholfen, die Prinzessin zu befrein, ich meine, Euch zu erlösen. Und außerdem bin ich ihm noch ein Viertel unseres Landes schuldig.«
»Wie Ihr wollt, Prinzessin«, sagte Prinz Edmund. »Er soll es haben. Und nun lasst uns diesen abscheulichen Wald verlassen, in dem ich fast ein Jahr hausen musste.«
Als die drei aus dem Waldschatten traten und sich einen Weg durch die Schafherde bahnten, stießen sie auf Prinzessin Henriette-Rosalinde-Audora. Sie saß inmitten ihrer Sachen im Gras.
»Du bist ja noch immer hier«, sagte Simplinella.
»Ich verbiete Euch, eine Prinzessin mit ›du‹ anzureden!«, ant-

wortete Prinzessin Henriette-Rosalinde-Audora. »Natürlich bin ich hier. Denkt Ihr etwa, eine Prinzessin würde zu Fuß gehn? Ich warte, bis der dumme Späher endlich entdeckt hat, dass ich hier inmitten von dämlichen Schafen sitze und auf eine Kutsche warte.«

Jetzt erst sah sie den Prinzen, sprang auf, zupfte ihr Kleid zurecht, das etwas zerknittert wirkte, strich sich eine Locke aus der Stirn und sagte: »Oh, welch schöner junger Mann! Ihr seid gewiss ein Prinz!« Und zu Simplinella sagte sie flüsternd: »Wollt Ihr mir diesen Prinzen nicht vorstellen?«

»Vorstellen? Gern«, antwortete Simplinella laut. »Gestattet, dass ich Euch ein Untier vorstelle, allerdings ein von mir erlöstes!«

»Untier? Er war das Untier?« Henriette-Rosalinde-Audora starrte den Prinzen an. Dann fragte sie vorwurfsvoll: »Weshalb habt Ihr Euch nicht von mir erlösen lassen?«

»Ich bin sehr froh, dass nicht Ihr mich erlöst habt«, antwortete der Prinz, nahm Simplinella und Lützel beim Arm und zog sie mit sich. »Kommt, lasst uns gehen.«

Als sie eine Weile gegangen waren, sagte er: »Ich glaube, ich hätte diese Henriette-Rosalinde-Audora doch nicht geheiratet. Und wenn sie mich dreimal erlöst hätte!«
»Wirklich?«, fragte Simplinella. »Dann können wir bei Gelegenheit vielleicht noch mal über Euren Heiratsantrag reden.«
Und da sie merkte, dass der Prinz schon wieder dabei war, vor ihr auf die Knie zu fallen, sagte sie schnell: »Nicht jetzt. Später. Vielleicht in einem halben Jahr. Ich habe mir nämlich vorgenommen, erst zu heiraten, wenn ich achtzehn bin.«
»Ich nehme Euch beim Wort«, sagte der Prinz. »Ich werde Euch in Lützelburgen besuchen, wenn Ihr erlaubt.«
»Ich besuche dich auch mal, wenn ich das darf. Wenn du mich bis dahin nicht vergessen hast«, sagte Lützel.
»Ich erlaube es«, sagte sie zum Prinzen. Und zu Lützel sagte sie: »Als ob man jemand wie dich jemals vergessen könnte!«
Dann gingen alle drei fröhlich weiter nach Westen und ihre langen Schatten tanzten im Morgenlicht vor ihnen her.

He!
Sie Kommt zurück!

Schön, dass du wieder da bist!!!

Du bist wieder da. Das bedeutet, dass wir uns mächtig freuen!
Gut, dass dir nichts passiert ist!
Nicht, dass ihr denkt, ich Komme mit leeren Händen!
Guckt mal aus dem Fenster!
Wo?
Oh...
Aah...

1 Jahr später...

In letzter Zeit guckt sie so oft aus dem Fenster...
Als ob sie auf jemanden warten würde.
Aber auf wen denn nur?

ENDE

Paul Maar, 1937 in Schweinfurt geboren. Einer der bedeutendsten Kinder- und Jugendbuchschriftsteller deutscher Sprache. Wurde mit vielen namhaften Preisen ausgezeichnet, u.a. mit dem Deutschen Jugendliteraturpreis, dem Österreichischen Staatspreis, dem Brüder-Grimm-Preis, dem Großen Preis der Deutschen Akademie für Kinder- und Jugendliteratur, dem Sonderpreis des Deutschen Jugendliteraturpreises für sein Gesamtwerk und dem Verdienstorden der Bundesrepublik Deutschland.

Verena Ballhaus, 1951 in Unterfranken geboren. Studium an der Akademie der Bildenden Künste in München. Tätigkeit als Bühnenbildnerin und Gestalterin von Kindertheaterplakaten. Seit 1985 Kinderbuchillustratorin. Erhielt 1989 zusammen mit Nele Maar den Deutschen Jugendliteraturpreis für das beste Bilderbuch. 1998 zweiter Preis der Stiftung Buchkunst. Die Illustrationen zu dem Buch von Paul Maar sind ihre erste Arbeit für Oetinger.